Carly Bishop

La fascination de Carly Bishop pour le monde médical remonte à sa plus tendre enfance : « Les médecins ont toujours été mes héros, car leur passion à sauver des vies, parfois de manière dramatique, a nourri mon imaginaire ».

Après ses études, Carly décide de participer elle-même à l'aventure médicale en travaillant dans un laboratoire de recherche, puis dans le service de transplantation de moelle osseuse à l'hôpital de Denver. Après vingt ans d'expérience de la médecine au quotidien, elle a eu envie de raconter le destin de ces hommes et ces femmes « qui connaissent les secrets de la vie et de la mort ».

Prise au piège

CARLY BISHOP

Prise au piège

INTRIGUE

éditions **Harlequin**

Cet ouvrage a été publié en langue anglaise
sous le titre :
HEART THROB

Traduction française de
KARINE REIGNIER

HARLEQUIN®

est une marque déposée du Groupe Harlequin
et Intrigue® est une marque déposée d'Harlequin S.A.

Photos de couverture
Femme : © ROYALTY FREE / CORBIS
Chicago : © BRAND X PICTURES / GETTY IMAGES

© 1995, Cheryl McGonigle. © 2004, Traduction française . Harlequin S.A.
83-85, boulevard Vincent-Auriol, 75013 PARIS — Tél. : 01 42 16 63 63
Service Lectrices — Tél. : 01 45 82 47 47
ISBN 2-280-17053-1 — ISSN 1639-5085

Prologue

Le docteur Joanna Cavendish avait endormi des centaines de patients au cours de sa carrière. Et personne n'avait jamais eu à s'en plaindre. Car elle avait l'art d'anesthésier en douceur les malades les plus anxieux, et la main assez légère pour leur éviter un réveil difficile. Ses compétences lui valaient une excellente réputation au sein du Rose Memorial Hospital de Chicago, où elle travaillait. Et les infirmières qui officiaient en salles de réveil ne tarissaient pas d'éloges à son égard.

Etait-ce la raison pour laquelle Elliott Vine, le redouté chef du personnel, avait demandé à être anesthésié par ses soins ce matin ? Sans doute. Contraint de subir une opération à cœur ouvert, il en connaissait les risques. En la choisissant au détriment de collègues plus chevronnés, il avait créé la surprise, certains n'hésitant pas à affirmer que Joanna était trop jeune pour une intervention aussi délicate. N'était-elle pas, à trente-deux ans, la benjamine de son équipe d'anesthésistes ?

Et alors ? se répéta-t-elle pour la dixième fois en ajustant la luminosité de son écran de contrôle. Elliott Vine lui avait fait confiance, et elle ne le décevrait pas. Quant à Hensel Rabern, le chirurgien qui opérait ce matin, elle lui prouverait qu'il avait tort. Proche de la retraite, ce praticien réputé n'avait guère d'estime pour ses cadets, et n'hésitait pas à le faire savoir : lorsque Vine avait choisi Joanna, il s'y était publiquement opposé. Mais Vine avait insisté. Et le tout-puissant Dr Rabern avait dû s'incliner. A elle, désormais, de gagner son respect. C'était l'occasion ou jamais...

Un sourire lui monta aux lèvres. Ses collègues, qui s'affairaient autour d'elle avant l'arrivée de Rabern, étaient loin de partager son enthousiasme. Les deux chirurgiens vasculaires, l'interne en chirurgie, les infirmières et les techniciens étaient unanimes : cette opération pouvait briser leur carrière. Au moindre pépin, il faudrait affronter la fureur de Vine à son réveil. Et dire adieu au Rose Memorial Hospital le jour suivant.

— Vingt-huit, vingt-neuf... Pourvu que tout se passe bien ! marmonna l'une des infirmières en vérifiant pour la troisième fois qu'elle disposait du nombre de compresses requis.

— Comme tu dis. Franchement, je me serais bien passé de cette opération. C'est pire qu'un examen ! soupira un aide-soignant, les bras chargés de solution saline.

— On n'a pas le droit à l'erreur, renchérit une infirmière plus âgée, avant d'allumer les lampes au-dessus de la table d'opération. Si Vine pouvait nous transformer en robots, il n'hésiterait pas une seconde. Je ne l'ai jamais vu content, cet homme-là !

— C'est vrai. Il est assez tatillon, murmura Joanna en recomptant mentalement son propre stock d'anesthésiques.

— *Tatillon* ? répéta l'interne en chirurgie, qui venait d'entrer dans la salle. Ce type est un maniaque, tu veux dire !

Il baissa les yeux vers Elliott Vine, endormi sur la table d'opération.

8

— Regardez-le : il a presque l'air gentil, avec ses grands cils…

Joanna sourit derrière son masque. Rendu inconscient par ses soins, le chef du personnel leur opposait un calme inhabituel… et tout à fait réjouissant pour qui avait eu le malheur d'assister à l'une de ses légendaires colères.

— Quand je pense qu'il a insulté ou humilié la quasi-totalité des employés de cet hôpital…, reprit le jeune homme d'un air sombre. Si j'étais lui, je me serais fait opérer ailleurs !

— Si j'étais *vous*, gronda Hensel Rabern en franchissant la porte, je m'abstiendrais de ce genre de commentaires. Sauf si vous souhaitez effectuer votre internat ailleurs, bien sûr.

L'intéressé rougit jusqu'à la racine des cheveux.

— Non, monsieur.

— Dans ce cas, taisez-vous et terminez les préparatifs.

Rabern tourna son regard implacable vers Joanna.

— Et vous, Cavendish… Avez-vous rectifié l'erreur de ce matin ?

— Oui.

La tension dans le bloc était montée d'un cran, reflétant l'irritation du chirurgien cardiaque. Mal à l'aise, Joanna se redressa sur sa chaise.

— Et ? insista-t-il d'un ton impatient.

— Le problème est réglé. J'ai vérifié chaque poche de sang une à une : il n'y a plus d'erreur possible.

L'aide-soignant qui avait préparé leur commande s'était trompé : il leur avait fourni du sang issu de la banque anonyme, au lieu des poches données par le fils et les amis d'Elliott Vine. Joanna, qui s'était aperçue de l'erreur dès son arrivée en salle d'opération, avait aussitôt contacté la pharmacie, et obtenu les poches désirées en remplacement de celles qui leur avaient été livrées.

Il était de sa responsabilité, en tant qu'anesthésiste, de gérer ce type de problèmes. Rabern le savait. Pourtant, il avait jugé nécessaire de vérifier qu'elle s'était bien acquittée de sa tâche — preuve supplémentaire du peu d'estime qu'il éprouvait à son égard… Vexée, elle faillit le lui faire remarquer, puis s'abstint. Inutile d'ajouter à la tension ambiante !

— Bien. Tout le monde est prêt ? interrogea le chirurgien en lançant un regard à la ronde. Allons-y.

Il s'avança vers la table d'opération. L'interne se plaça à sa gauche, l'infirmière instrumentiste à sa droite.

— Scalpel, ordonna-t-il.

L'infirmière le lui posa dans la main, et l'opération commença. Depuis la première incision jusqu'à la suture finale, tout se déroula comme prévu. Après avoir ouvert la cage thoracique, Rabern se détendit un peu, allant jusqu'à commenter le dernier match des Chicago Bears avec ses assistants tandis qu'il s'attaquait à la première artère endommagée. Attentive aux moindres réactions de son patient, Joanna ne les écouta que d'une oreille : les yeux rivés sur ses écrans de contrôle, elle vérifia minute après minute le bon fonctionnement de son équipement — bien qu'il fût équipé d'un système d'alarme assez perfectionné pour détecter et signaler la plus infime anomalie. Trois heures après le début de l'intervention, elle commença d'injecter la première des six poches de sang dont elle disposait, dans l'intraveineuse reliée au bras d'Elliott Vine. L'un des chirurgiens vasculaires fournit une section de veine saine prélevée sur la cuisse du patient, et le Dr Rabern entama le pontage de la troisième et dernière artère bloquée.

— Tout va bien, docteur Cavendish ? s'enquit-il en relevant la tête.

— Parfaitement bien, assura-t-elle en désignant ses écrans de contrôle.

— Continuez comme ça.

Il se remit au travail, commentant chacun de ses gestes pour l'interne, qui se tenait respectueusement à son côté. Une heure plus tard, la troisième artère était réparée. Le moment était venu de relancer le cœur d'Elliott Vine… Chacun retint son souffle, priant pour que le muscle cardiaque accepte de coopérer.

Ce qu'il fit.

Un profond soupir de soulagement parcourut l'équipe. Le sourire aux lèvres, Joanna accrocha deux autres poches de sang à l'intraveineuse. Ils avaient réussi. *Elle* avait réussi.

— Beau boulot, Cavendish, lança le Dr Rabern.

Il semblait presque étonné, comme s'il refusait encore d'admettre ses compétences professionnelles.

— Je vous remercie, répliqua-t-elle sèchement.

— Je le pense vraiment, vous savez, affirma-t-il en plantant son regard énergique dans le sien.

— Moi aussi.

— Si Vine se réveille frais comme un gardon, je vous promets des excuses publiques en première page du *Memorial Journal*.

Il paraissait sincère, mais elle ne s'y trompa pas. Trop orgueilleux pour admettre son erreur devant ses pairs, il avait attendu que les deux chirurgiens vasculaires soient partis pour la complimenter. Et n'hésiterait pas à revenir sur ses propos si le moindre incident survenait en salle de réveil. Elle était encore loin d'avoir gagné son estime — mais l'éclair d'admiration qui avait brillé dans ses yeux était déjà bien plus qu'elle pouvait espérer de sa part.

L'air satisfait, il ôta ses gants et s'effaça pour laisser l'interne poser les derniers points de suture. Joanna suspendit les deux dernières poches de sang à la patère de l'intraveineuse, réduisit la dose d'anesthésique administrée au patient, et nota le tout dans son carnet.

Trente secondes plus tard, la pression artérielle d'Elliott Vine entama une chute vertigineuse.

Toutes les alarmes se mirent à sonner ; les infirmières se figèrent ; les conversations se turent. Et dans un silence assourdissant, le cœur d'Elliott Vine cessa de battre.

— Que se passe-t-il ? tonna Rabern.

— Sa tension est en chute libre ! répliqua-t-elle en jetant un regard effaré à son écran de contrôle. L'une des greffes a peut-être sauté ?

— Impossible. C'est forcément lié à la transfusion… Faites quelque chose, bon Dieu !

Elle hocha la tête. S'exhortant au calme, elle passa mentalement en revue les solutions possibles — et les mit aussitôt en pratique, ouvrant l'un après l'autre des paquets de solutions médicamenteuses.

Mais rien n'y fit. En dépit de ses efforts, elle ne parvint pas à raviver la circulation sanguine d'Elliott. Cédant à la panique, Rabern devint désagréable — d'autant plus, songea-t-elle, qu'il l'avait complimentée trois minutes plus tôt pour la qualité de son travail.

— Qu'est-ce que vous trafiquez, Cavendish ? On ne vous a rien appris, à l'école ?

— Si, justement. Et j'ai tout essayé, répliqua-t-elle d'un ton ferme. Je crois que vous feriez mieux de…

— Défibrillateur, ordonna-t-il à la cantonade, comme s'il avait lu dans ses pensées.

L'interne lui tendit précipitamment l'appareil, que Rabern appliqua sans tarder sur le torse suturé d'Elliott Vine.

— Ecartez-vous ! intima-t-il. On choque !

Retenant son souffle, Joanna fixa l'écran de contrôle tandis que l'interne envoyait une impulsion électrique dans l'appareil : l'encéphalogramme tressauta… puis redevint aussi plat qu'auparavant.

— Réessayez, suggéra-t-elle.

Rabern s'exécuta, avant d'interroger Joanna du regard.

— Alors ?

— Rien, répondit-elle en secouant la tête.

Il laissa échapper un juron.

— Je vais devoir recommencer ! Et tout ça, grâce à *vous*, Cavendish !

Elle s'interdit de répondre. A quoi bon se défendre ? Il ne l'écouterait pas, de toute façon. Et le contredire ne ferait qu'envenimer sa colère.

L'infirmière désinfecta de nouveau le torse d'Elliott Vine, et Rabern répéta l'opération. Et la répéta encore et encore, pendant trente-cinq longues minutes. En vain : le cœur d'Elliott Vine avait définitivement cessé de battre. Personne, pas même l'excellent Hensel Rabern, ne pouvait plus le ranimer.

Lorsque le chirurgien déclara forfait, la consternation se lisait sur tous les visages. Le chef du personnel du Rose Memorial Hospital venait de mourir en salle d'opération. Et l'équipe entière allait en payer les conséquences.

1.

Douze heures s'étaient écoulées depuis que Rabern avait officiellement constaté le décès d'Elliott Vine. Joanna posa la copie du rapport d'autopsie préliminaire sur sa table basse, en même temps que ses lunettes de lecture à monture d'écaille. Rédigé par le Dr Ruth Brungart, chef du service d'anatomopathologie du Rose Memorial, le rapport offrait une succession aride de relevés et de graphiques en tous genres. Joanna se frotta les paupières. Ses yeux la brûlaient, après tout ce temps passé à scruter la prose de Brungart à la recherche d'un indice expliquant la mort de Vine.

Son décès avait choqué tout le monde à l'hôpital. Si le chef du personnel pouvait succomber sur la table d'opération de son propre établissement, qu'en était-il des patients ordinaires ?

L'anxiété générale avait encore monté d'un cran dans l'après-midi, quand un appel anonyme avait été transmis à la presse. Désormais, tout Chicago voulait en savoir plus…

Pourquoi alerter les médias ? se demanda Joanna pour la énième fois. Vine avait beau être le chef du personnel du Rose Memorial, il n'en était pas moins inconnu du grand public. De plus, dix pour cent des patients opérés à cœur ouvert décédaient au bloc. Aussi regrettable fût-elle, la mort de Vine n'avait donc rien d'un scoop. Pourtant, l'anonyme qui avait prévenu les reporters du *Chicago Tribune* et des chaînes de télévision locale avait l'intention de monter cet accident en épingle, et d'en faire le scandale de l'année.

En pure perte, d'ailleurs. Car les meilleurs journalistes ne trouveraient pas plus d'explication à la mort de Vine que Joanna n'en avait trouvé elle-même. Certains patients ne survivaient pas à ce type d'opération. C'était ainsi, et nul n'y pouvait rien.

Elle se leva et gagna sa petite cuisine pour se préparer une tasse de thé. Après avoir mis la bouilloire en marche, elle ferma la fenêtre qui laissait pénétrer un souffle d'air nocturne et arrosa les herbes aromatiques qu'elle faisait pousser dans des pots en faïence, au-dessus de l'évier.

A l'instant où la bouilloire se mettait à siffler, le téléphone sonna. Les nerfs à vif, elle attendit que le répondeur se déclenche. Ce qu'il fit après trois sonneries. Dans le petit haut-parleur, la voix de Phil Stonehaven se fit entendre. Anatomopathologiste au Rose Memorial, celui-ci était le mari de Beth, la meilleure amie de Joanna, qui travaillait au service pédiatrie.

— Joanna, décroche, si tu es là…

Posant la bouilloire, la jeune femme saisit le combiné.

— Salut, Phil.

— Je ne te dérange pas ? s'enquit-il d'une voix lasse.

Elle jeta un rapide coup d'œil à sa montre : il était 22 h 30.

— Non. J'étais en train de lire le rapport d'autopsie du Dr Brungart.

— Comment vas-tu ? s'enquit son ami.

— Ça peut aller, articula-t-elle, sentant sa gorge se serrer. Mais je ne me fais pas d'illusions : Rabern va tenter de me rendre responsable. Je suis la cible idéale, non ?

— J'en ai bien peur. D'autant que je l'ai déjà vu à l'œuvre dans des affaires similaires : ce type-là ne fait pas de cadeaux, surtout quand il se sent menacé. Et Vine est mort entre ses mains, ne l'oublie pas.

— Je sais. As-tu du nouveau ?

La direction de l'hôpital, désireuse de recueillir l'opinion d'un spécialiste sur le décès inattendu d'Elliott Vine, avait chargé Phil de relire le rapport d'autopsie du Dr Brungart. Numéro deux du service d'anatomopathologie de l'hôpital, celui-ci était tout à fait qualifié pour émettre un avis, d'autant qu'il avait travaillé à l'institut médico-légal de Chicago pendant quelques années. Si ses conclusions rejoignaient celles de Brungart, l'hôpital pourrait alors rejeter toute responsabilité dans la mort de Vine, et les recherches s'arrêteraient là.

— Non, rien de notable, répondit-il d'un ton contrarié.

— Et alors ? N'est-ce pas une bonne chose, je veux dire… pour l'hôpital ?

— Oui, sans doute. Mais je ne suis pas convaincu… Dis-moi, que penses-tu du rapport d'autopsie de Brungart ?

Médecin réputé, chef de service, Ruth Brungart inspirait le respect, mais rarement la sympathie. Même Phil, qui travaillait avec elle depuis plusieurs années, ne parvenait jamais à lui arracher un sourire.

Joanna plongea un sachet dans l'eau fumante qu'elle avait versée dans sa tasse et, humant avec délice le parfum du thé fumé, elle s'assit à la petite table de la cuisine, le combiné plaqué contre l'oreille.

— Ce que j'en pense ? répondit-elle. D'après elle, les choses sont simples : Vine est mort d'un arrêt cardiaque de cause inconnue. Un point c'est tout.

Phil émit un petit grognement.

— Ce qui me gêne, c'est cette histoire de cause inconnue, justement. L'administration déteste ça, sans parler de MacPherson...

Joanna se raidit. A trente-sept ans, Brad MacPherson dirigeait le service de la communication du Rose Memorial. C'était aussi l'un des meilleurs joueurs de l'équipe de football amateur de Chicago. Joanna l'avait rencontré à l'occasion d'un match qu'elle disputait au sein de l'équipe féminine, et dont il était l'arbitre. Intelligent, sensible, il aimait le jazz, les films des années trente... mais elle s'était tout de suite méfiée de ses manières affables, qui semblaient pourtant faire l'unanimité autour de lui.

Une chose était sûre : il n'avait pas son pareil pour séduire une horde de journalistes en quête de sensationnel. Et Jacob Delvecchio, le directeur général du Rose Memorial, saurait utiliser ces compétences à bon escient dans les jours à venir. La tâche promettait d'être rude, mais Brad était l'homme de la situation. D'une éloquence à toute épreuve, il avait l'art de convaincre les plus sceptiques.

Ce qui, selon Joanna, ne l'en rendait que plus dangereux. Elle était bien placée pour le savoir, d'ailleurs...

Mais peu importait ce qui s'était passé entre eux et l'opinion qu'elle avait de lui : dès demain, Brad déploierait ses talents lors de la conférence de presse prévue au Rose Memorial. Surtout si Phil laissait entendre que les causes de la mort de Vine n'étaient peut-être pas aussi évidentes que le prétendait Ruth Brungart...

— As-tu trouvé le moindre indice permettant d'élucider le décès de Vine ? interrogea-t-elle d'une voix pressante.

— Pas vraiment. Mais plus j'examine les prélèvements, plus j'ai le sentiment d'une anomalie. L'état des tissus évoque un collapsus circulatoire déclenché par une septicémie foudroyante.

17

Joanna fronça les sourcils. Un collapsus circulatoire était un dysfonctionnement brutal de la circulation sanguine. Jusque-là, rien de nouveau : puisque Vine était mort d'un arrêt cardiaque, il était logique que sa tension ait brusquement chuté. Mais une septicémie ? Ce terme désignait une infection généralisée, provoquée par la prolifération de certains germes dans le sang qui produisaient à leur tour des toxines si nombreuses que l'organisme n'avait plus les moyens de les combattre, et finissait par s'épuiser.

Elle déglutit péniblement.

— Comment est-ce possible ? Ce type d'infection s'accompagne d'une poussée de fièvre. Or Vine n'en avait pas — sans quoi nous ne l'aurions pas opéré.

— Très juste, approuva Phil dans un soupir. Sans compter qu'une septicémie aurait dû faire grimper son taux de globules blancs de manière spectaculaire. Or, chez Vine, ce taux était moins important en fin d'intervention qu'au début. Du coup, je ne vois qu'une explication possible : il aurait été infecté par du sang empoisonné *pendant la transfusion.* J'ai envoyé un prélèvement de sang au labo… sans grand espoir, bien sûr.

— Hmm. Je doute que les bactéries responsables de l'infection soient encore décelables dans les prélèvements. Mais les toxines qu'elles ont libérées pourraient avoir causé la mort d'Elliott, n'est-ce pas ? lui demanda Joanna en se remémorant ses cours de microbiologie.

— Oui. On peut toujours imaginer que quelqu'un lui a administré un ou deux grammes de strychnine. Dans ce cas, l'enquête serait vite réglée ! précisa-t-il sur le ton de la plaisanterie. Par acquit de conscience, j'ai demandé un bilan toxicologique complet. Brungart est furieuse. D'après elle, effectuer ce genre d'examen équivaut à récuser la thèse de l'accident.

De nouveau, il laissa échapper un profond soupir, et Joanna l'imagina en train de relever ses lunettes cerclées de métal sur son front dégarni.

— Phil, es-tu vraiment en train de te demander si les conclusions de Ruth sont crédibles, ou crains-tu de formuler ta propre opinion ?

— Je l'ignore, dit-il d'un ton sec en tapant sur son clavier, mais j'ai bien l'intention de le découvrir. Rappelle-moi demain matin pour faire le point, d'accord ? Vers 6 heures ? J'aurai peut-être du nouveau…

Sur ces mots, il s'interrompit, et Joanna entendit grincer son fauteuil. Que se passait-il ?

— Bon sang ! jura-t-il pour lui-même, avant de reprendre : il faut que j'y aille, Joanna. On se rappelle demain, O.K. ?

Elle s'apprêtait à répondre quand un déclic annonça la fin de la communication : Phil avait raccroché. Elle fixa le combiné, interloquée. Pourquoi avait-il si brusquement coupé court à leur conversation ?

Jetant le sachet de thé dans la poubelle, elle passa un coup d'éponge sur la table, prit quelques biscuits et gravit l'escalier, sa tasse fumante à la main. Une fois dans sa chambre, elle se cala confortablement contre les oreillers et ouvrit un roman. Qu'elle referma presque aussitôt. La mort de Vine se mêlait à sa lecture, l'empêchant de se concentrer. Elle se releva à contrecœur et se dirigea vers la salle de bains, où elle tenta de se détendre sous le jet brûlant de la douche. Emmitouflée dans son peignoir, elle natta ses cheveux fins, encore mouillés, pour leur donner un peu de volume, avant de s'enduire les jambes de lait hydratant.

Mais rien n'y fit : elle ne parvenait pas à se défaire du malaise qui s'était emparé d'elle depuis que Phil avait brusquement mis fin à leur conversation. Elle se coucha de mauvaise grâce, persuadée de devoir lutter contre l'insomnie, mais elle ne tarda pas à s'endormir profondément, bercée par la mélodie de Simon et Garfunkel que diffusait son radio-réveil.

Quand le téléphone sonna sur sa table de nuit, il faisait encore nuit. Roulant sur le côté, elle décrocha d'une main encore engourdie.

— Allô ? marmonna-t-elle. Qui est-ce ?

— Joanna ? C'est toi ?

Cette voix de velours… Elle l'aurait reconnue entre toutes.

— Brad ? Mais… quelle heure est-il ?

— Cinq heures moins le quart. Désolé de te réveiller.

Le ton était doux comme une caresse, presque intime. Pourtant, un léger brouhaha se faisait entendre dans le combiné. Brad Mac Pherson n'était pas seul.

— Que se passe-t-il ? interrogea-t-elle en s'appuyant sur un coude. Où es-tu ?

Il hésita avant de répondre.

— Dans le bureau de Phil Stonehaven.

— Dans le bureau de Phil ? A cinq heures du matin ?

— Oui, acquiesça-t-il dans un soupir. La police est ici aussi. J'ai appuyé sur la touche « bis » de son téléphone sans savoir que je tomberais sur toi. Les enquêteurs cherchent à savoir qui est la dernière personne…

Il s'interrompit vivement.

— Pardonne-moi. J'oubliais que tu n'es pas encore au courant…

Abasourdie, elle tendit la main vers sa lampe de chevet.

— Qu'est-ce que tu racontes ? Au courant de quoi ?

— Je…

Il bafouillait presque, ce qui ne lui ressemblait guère.

— Ce n'est pas facile à dire, reprit-il d'un ton raffermi. Je sais que vous étiez très proches. Voilà : Phil Stonehaven est mort. On l'a découvert il y a quelques heures.

— Mon Dieu ! Que s'est-il passé ?

— Il semble qu'il a été assommé avec son microscope. Le technicien qui l'a découvert a immédiatement appelé la police. Et, dans des cas comme celui-ci, le protocole veut qu'un membre de mon équipe ou moi-même soit dépêché sur les lieux.

Dans des cas comme celui-ci ? Joanna secoua la tête, incrédule. Elle aurait aimé découvrir qu'elle nageait en plein cauchemar et n'allait pas tarder à se réveiller… mais elle n'avait pas besoin de se pincer pour constater que cet appel téléphonique était bien réel. Un profond malaise l'envahit. Repliant ses longues jambes sous son menton, elle posa les coudes sur ses genoux, trop émue, trop horrifiée pour réfléchir de manière cohérente. Une question, une seule, tournait en boucle dans son esprit : qui avait pu vouloir la mort de Phil Stonehaven ?

Elle la posa à Brad, qu'elle entendit s'adresser à une femme, avant de lui répondre :

— D'après l'inspecteur Dibell et son équipe, Phil a été violemment agressé. Frappé à la tête, volé et laissé pour mort. On lui a dérobé sa montre, son portefeuille et son alliance.

Son alliance ? De l'épaule, Joanna maintint le combiné contre son oreille, tandis qu'elle prenait pleinement conscience de l'étendue du drame : Phil était le mari de sa meilleure amie. Et le père de deux petits garçons, qui allaient devoir grandir sans lui. Non…, gémit-elle intérieurement. Un homme aussi curieux de tout, aussi brillant, aussi charmant que lui ne pouvait être *mort* ! Assassiné pour une montre en argent, une poignée de dollars, quelques cartes de crédit et… une alliance ?

— Joanna ? Tu es toujours là ?

— J'arrive, lança-t-elle. Je serai là dans une demi-heure.

Elle raccrocha, se leva d'un bond et dénoua machinalement ses tresses avant d'enfiler une tenue informe — un pull bleu marine, un caleçon et des sabots à semelle de crêpe.

Durant son bref trajet jusqu'à l'hôpital, la réalité du drame la heurta de plein fouet : des policiers s'affairaient en ce moment même dans le bureau de Phil. L'enquête criminelle avait déjà commencé.

Tiraillée entre la fureur et l'impuissance, elle appuya sur l'accélérateur de sa berline, tandis qu'une pensée terrible s'imposait à son esprit : si elle était allée rejoindre Phil après son appel brutalement interrompu, l'agresseur aurait peut-être pris la fuite avant de commettre l'irréparable…

Lorsqu'elle arriva à l'hôpital, les policiers s'efforçaient de protéger le lieu du crime et d'éviter que l'activité normale du laboratoire ne brouille les pistes éventuelles. Quelques techniciens relevaient les empreintes laissées sur le bureau et le microscope de la victime ; d'autres examinaient la pièce à la recherche d'indices témoignant du passage de l'agresseur.

En baissant les yeux au sol, Joanna constata que le corps de Phil avait été enlevé. Mais la moquette grise était encore imbibée de son sang. Elle avait vu trop de scènes macabres et d'autopsies pour ne pas imaginer le pire et cependant rien ne l'avait préparée au spectacle de la mort brutale d'un homme qui était aussi le mari de sa meilleure amie. Elle ne put réprimer un haut-le-cœur.

Comme elle détournait le regard, Brad MacPherson s'approcha d'elle. Malgré le bon mètre soixante-quinze de la jeune femme, il la dépassait d'une tête. Ses cheveux bruns entouraient un visage aux traits ordinaires — mais non sans charme. Ses yeux étaient d'une chaude couleur noisette et une cicatrice marquait son menton. Sous ses manières de gentleman, il possédait cette virilité brute qui inspirait aux autres hommes, troublés par ses succès féminins, un mélange de respect et d'indifférence.

Joanna, elle, savait parfaitement pourquoi il plaisait tant aux femmes. Et elle n'était pas près de l'oublier.

Après un bref regard à son visage défait, il l'entraîna à l'écart et la conduisit de l'autre côté du couloir, dans une petite salle de repos. Voyant les larmes couler sur ses joues, il ferma la porte et la serra contre lui.

— Respire, Dish.

Tout à son émotion, elle ne releva pas l'emploi du diminutif — Dish pour Cavendish — que Brad se croyait autorisé à employer, « par affection », disait-il, pour s'adresser à elle.

Brad la lâcha pour imbiber d'eau fraîche quelques mouchoirs en papier. Comme elle tendait la main pour les saisir, il lui prit le poignet et l'attira de nouveau à lui, passant son bras autour de ses épaules. Elle secoua la tête et tenta de se dégager, mais il résista.

— Ne bouge pas, ordonna-t-il doucement, en lui soulevant le menton pour la forcer à croiser son regard. Respire fort…

Quelle ironie ! C'était elle le médecin, et lui qui lui prodiguait des conseils !

— Détends-toi…

Il lui essuya le visage comme il l'aurait fait avec un enfant, puis tamponna sa peau humide avec le petit carré de lin glissé dans la poche de poitrine de l'impeccable costume beige qu'il arborait malgré l'heure matinale.

Le tissu était imprégné de son odeur musquée, masculine. Joanna, qui s'était efforcée de l'oublier, fut forcée de constater qu'elle en avait gardé un souvenir précis. De même, elle se remémorait parfaitement le sentiment de plénitude qu'elle éprouvait quand, blottie contre lui, elle se fondait dans la chaleur de son corps et que plus rien n'existait...

Plus rien ? Elle se dégagea brusquement de son étreinte. Après Elliott Vine, c'était Phil qui venait de mourir. Phil, son meilleur ami !

— Tu te sens mieux ? s'enquit-il avec sollicitude.

— Oui, mentit-elle. Merci.

Prenant une profonde inspiration, elle ouvrit la porte et traversa le couloir. Une femme trapue, aux cheveux noirs coupés court, les attendait dans le bureau de Phil. Vêtue d'un tailleur de tweed marron un peu élimé et de souliers plats, elle inspirait la sympathie.

— Docteur Cavendish ?

— Oui, c'est moi.

Brad, qui les avait rejointes, fit les présentations.

— Joanna, voici l'inspecteur Laverne Dibell. Laissons les enquêteurs travailler et allons discuter plus loin.

Joanna les suivit jusqu'au bout du couloir, qui s'élargissait sur une sorte de patio à destination du public. L'endroit, par chance, était encore désert.

— Docteur Cavendish, commença l'inspecteur en s'appuyant contre le mur, je suis désolée... M. MacPherson m'a appris que vous étiez très proche de la victime, le Dr Stonehaven.

Joanna leva les yeux vers Brad, dont la présence la rassurait plus qu'elle ne voulait l'admettre.

— C'est exact, en effet.

— Y avait-il davantage que de l'amitié entre vous, docteur ? enchaîna Laverne Dibell.

24

Joanna secoua la tête.

— Pas du tout ! Phil est marié, et sa femme est ma meilleure amie.

Pauvre Beth ! Phil et elle formaient un couple très soudé. Le bonheur se lisait sur leurs visages chaque fois qu'ils étaient ensemble...

— Au fait, Beth a-t-elle été prévenue ? s'enquit-elle d'une voix tremblante.

— A cette heure-ci, certainement, répondit l'inspecteur en consultant sa montre. Nous pensons que le Dr Stonehaven a été agressé entre 22 heures et minuit. A quelle heure vous a-t-il appelée ?

— A 22 h 30. J'avais branché mon répondeur pour filtrer les appels. Ça me permet de rester joignable en cas d'urgence.

— Vous êtes chirurgienne ?

— Anesthésiste, rectifia Joanna.

Se grattant négligemment le front avec le bout de son stylo, Dibell fronça les sourcils.

— A quel sujet le Dr Stonehaven vous a-t-il appelée ?

— Il voulait prendre de mes nouvelles et me donner ses impressions sur le rapport d'autopsie de M. Vine, que la direction lui avait demandé de relire.

— M. Vine ? répéta Dibell en les regardant tour à tour. Voulez-vous parler du chef du personnel de l'hôpital ? Celui qui est mort sur la table d'opération hier ?

— Lui-même.

— Pourquoi M. Stonehaven souhaitait-il vous communiquer son opinion sur l'autopsie ?

Joanna prit une profonde inspiration.

— C'est moi qui ai anesthésié Elliott Vine avant son opération. Phil sait à quel point il est pénible de perdre un patient.

— Oui. Beaucoup de malades décèdent au bloc, n'est-ce pas ? s'enquit Dibell en les gratifiant d'un regard inquisiteur.

— Pas tant que cela. Mais la presse ne parle que des accidents. Pour les journalistes, un membre de l'hôpital qui succombe à une opération là où il travaille, c'est un vrai scoop !

— Savez-vous qui a prévenu la presse ?

Brad esquissa une grimace qui creusa la cicatrice de son menton.

— J'aimerais bien, mais je l'ignore.

— Dommage, marmonna Laverne Dibell en haussant les épaules. Savez-vous ce qui se trouve derrière la porte située au fond du couloir ?

— Le local qui abrite la soupe populaire de sœur Marie Bernadette, l'ancienne directrice du Rose Memorial. Elle était très engagée auprès des sans-abri du quartier depuis qu'elle a pris sa retraite.

— Je l'ai entendu dire, en effet. Avez-vous déjà eu des problèmes de sécurité, liés à la proximité de cette soupe populaire avec les laboratoires de l'hôpital ?

Joanna secoua la tête.

— Pas que je sache. Mais lorsque sœur Marie Bernadette a énoncé son projet à la direction, certains médecins se sont inquiétés de ce que la cuisine offrirait un accès direct aux laboratoires. Dans un hôpital, les seringues, les médicaments et autres produits dangereux ne sont jamais loin…

Elle hésita, avant d'ajouter :

— Croyez-vous que l'assassin de Phil soit entré par là ?

— Nous avons trouvé la porte ouverte. Vos collègues avaient raison de s'inquiéter.

Joanna échangea un bref regard avec Brad, puis reprit :

— Vous pensez qu'un junkie aurait agressé Phil après avoir pénétré dans l'hôpital par la cuisine ?

— Un junkie, sans doute pas — ou alors il ignorait la présence de toutes ces seringues : aucune n'a disparu.

— Un SDF, alors ?

— Plutôt, oui, répondit Dibell en hochant la tête.

— Mais… je croyais qu'il était courant que les assassins volent leurs victimes pour faire croire à une agression ?

L'inspecteur eut un sourire amusé.

— Dans les séries télévisées et les films, oui, et c'est une éventualité que nous n'écartons pas. Mais dans la vie réelle, les assassins ne sont pas des voleurs professionnels. Voler quelqu'un prend du temps et dans leur hâte à s'enfuir, ils auraient plutôt tendance à agir avec négligence. A prendre, par exemple, une montre et un portefeuille, tout en oubliant une alliance ou un bijou.

Joanna frissonna. Le monstre qui avait tué Phil n'avait pas oublié son alliance, lui…

— Depuis que je travaille ici, j'ai entendu toutes sortes d'histoires, mais jamais personne n'a été agressé dans nos locaux, murmura-t-elle.

— Ce n'est pourtant pas étonnant, lorsqu'on sait qu'un établissement comme le vôtre attire toutes sortes d'individus, dont une population, disons… à risque.

Brad leva un sourcil mi-interrogatif mi-réprobateur.

— Ne vous inquiétez pas, monsieur MacPherson, devança l'inspecteur. Je n'ai pas l'intention de porter préjudice à cet établissement ni de ternir la réputation de sœur Marie Bernadette. Quand je me suis fait opérer des amygdales, il y a cinquante ans de cela, c'est elle qui m'a nourrie de crème glacée pendant une semaine !

Elle se balança quelques instants d'un pied sur l'autre, puis finit par reprendre :

— Une dernière question, docteur Cavendish : à quelle heure s'est terminée votre conversation avec le Dr Stonehaven ?

— Tu as parlé à Phil hier soir ? s'exclama une voix derrière eux.

Joanna se retourna. L'agitation provoquée par les allées et venues des techniciens de laboratoire et des enquêteurs était telle que personne n'avait entendu Chip Vine approcher.

Il était célèbre dans tout l'hôpital pour ses cheveux de jais soigneusement coiffés en catogan et son élégance tapageuse. Mais, ce matin, il semblait avoir dormi tout habillé — à ceci près que les cernes qui entouraient ses yeux gris injectés de sang trahissaient une nuit blanche. Il avait des excuses, pensa Joanna. Après tout, son père était mort moins de 48 heures auparavant.

— Vous êtes… ? interrogea l'inspecteur Dibell, manifestement agacée par son intrusion.

— Charles, Chip, Vine. Je travaille au service informatique de l'hôpital.

Il salua Brad, puis se tourna de nouveau vers Joanna.

— Je viens tout juste d'apprendre, pour Phil. Je venais pour lui parler de l'autopsie de mon père.

— Chip Vine ? répéta Laverne Dibell. Etes-vous de la famille d'Elliott Vine ?

— Je suis son fils, répondit Chip d'une voix tremblante. Qu'est-il arrivé à Phil ?

— Selon les policiers, commença Joanna, un vagabond se serait…

— Attendez une minute…, interrompit l'inspecteur. Vous dites que vous cherchiez le Dr Stonehaven. L'avez-vous vu hier soir ?

— Non. Je me suis rendu dans son bureau, mais je ne l'ai pas vu. Pourquoi ? Que s'est-il passé, au juste ?

— Le Dr Stonehaven a été assassiné.

Chip blêmit, mais il ne fit aucun commentaire.

— Donc, vous souhaitiez parler au Dr Stonehaven du rapport d'autopsie concernant votre père, reprit Dibell. Quel genre d'information attendiez-vous de sa part ?

— J'étais en train de travailler sur le serveur de l'hôpital, répondit Chip en serrant les mâchoires, quand j'ai vu sur le planning du laboratoire que Stonehaven était chargé de lire le rapport d'autopsie de mon père. Alors, j'ai voulu savoir ce qu'il avait trouvé.

Chip semblait sur la défensive, comme s'il jugeait anormal d'avoir à s'expliquer.

Mais comment ne pas éprouver de compassion à son égard ? songea Joanna, dont la mère était décédée trois ans plus tôt d'une pneumonie foudroyante. Tout comme Chip, elle s'était obstinée à chercher une explication. Une réponse...

Ce n'était un secret pour personne à l'hôpital que Chip entretenait avec son père des rapports houleux. Lorsqu'il avait échoué à l'examen d'entrée en faculté de médecine, Chip s'était tourné vers l'informatique. Sans grand enthousiasme, apparemment. Après une série de petits boulots peu prometteurs, il avait supplié son père de faire jouer ses relations pour le faire embaucher en milieu hospitalier. De guerre lasse, Elliott lui avait décroché un job au service informatique du Rose Memorial.

Il ne se montrait pourtant pas plus charitable envers son fils qu'envers n'importe quel autre membre du personnel. Peut-être même moins. Ce qui n'empêchait pas Chip de chercher à connaître les circonstances exactes de sa mort.

— Le Dr Stonehaven était-il au téléphone quand vous êtes passé devant son bureau ? demanda l'inspecteur Dibell.

Chip secoua la tête.

— Non, il n'y avait personne dans son bureau.

— Quelle heure était-il ?

— Je ne m'en souviens pas. J'ai l'impression d'avoir arpenté les couloirs toute la nuit...

L'inspecteur tiqua. Chip venait de se contredire, et elle en profita pour le pousser dans ses retranchements :

— Vous avez passé la nuit à l'hôpital et malgré l'importance qu'avaient pour vous les conclusions du Dr Stonehaven, vous n'êtes venu qu'une seule fois jusqu'à son bureau ? Vous n'êtes pas repassé ici après le meurtre ?

— Non. Ne le voyant pas dans son bureau, j'ai laissé tomber.

Ses épaules s'affaissèrent, ses traits se tirèrent encore plus. Et, comme Joanna le présageait, il perdit son sang-froid :

— Depuis quand est-ce un crime de chercher à savoir ce qui s'est passé ? s'écria-t-il d'un ton outré. Mon père est mort et personne ne m'a donné d'explications !

— Ce n'est pas un crime, répliqua son interlocutrice. Je me demande simplement pourquoi vous n'avez pas insisté pour parler à Stonehaven alors que vous vouliez tant savoir...

— Je l'ignore. Mon père vient de mourir. Je ne suis pas dans mon état normal, vous comprenez ?

L'air buté, Chip fourra ses mains dans les poches de son pantalon. Joanna ne l'avait jamais vu si fragile, si démuni. Il déglutit péniblement, puis ajouta :

— Si j'étais revenu trouver Phil, son agresseur aurait peut-être pris peur, et rien ne serait arrivé...

Joanna songea qu'elle aussi aurait pu se rendre au bureau de son ami. Si quelqu'un était passé le voir, la veille au soir, Phil ne serait pas mort, à l'heure qu'il est.

— Ecoute, Chip, dit-elle en posant la main sur son bras. Je sais ce que tu ressens. Ma mère…

— Laisse-moi tranquille, grommela-t-il de manière inattendue. Je n'ai pas besoin de ton réconfort. Pour autant que je sache, tu es la seule responsable de l'accident qui a tué mon père. Et Stonehaven cherchait à te couvrir, j'en suis sûr !

Abasourdie, Joanna recula d'un pas. Dans quelques heures, quand elle aurait vraiment admis que Phil était mort, elle se montrerait sans doute aussi dure et aussi impitoyable que Chip. Son accusation l'avait blessée, mais elle savait qu'il ne faisait que s'en prendre à la première personne qui lui tombait sous la main…

Brad, lui, ne semblait pas de cet avis.

— Ça suffit, Chip, intervint-il avec autorité. Tu dépasses les bornes. Tu ferais mieux de rentrer chez toi et de prendre un peu de repos. Je te le demande dans ton intérêt, et dans celui de l'hôpital. Tu as besoin de dormir.

Sa déclaration ressemblait davantage à un ordre qu'à une proposition.

Chip crispa la mâchoire.

— Peggy et moi assisterons à la conférence de presse, annonça-t-il. Nous défendrons la thèse de l'accident cardiaque. Il vaut mieux, pour l'hôpital, que nous soyons présents.

Brad acquiesça à contrecœur. Mais Chip avait raison : la présence à la conférence de presse du fils et de la belle-fille d'Elliott Vine, qui travaillaient tous deux au Rose Memorial, ferait sans doute très bonne impression sur les journalistes.

L'inspecteur Dibell regarda Chip tourner puis disparaître à l'autre bout du couloir.

— Intéressant, commenta-t-elle en se tournant vers Joanna. D'un côté, il veut sauver les apparences et défendre la version des faits soutenue par l'hôpital. De l'autre, il rôde autour des labos dans l'espoir de découvrir la véritable cause de la mort de son père.

— Le terme « rôder » est peut-être un peu exagéré, répliqua posément Brad.

Les lèvres de Laverne Dibell se plissèrent en un sourire ironique.

— Vous trouvez ? lança-t-elle avant de se tourner vers Joanna pour ajouter : à quelle heure votre conversation téléphonique avec le Dr Stonehaven s'est-elle achevée ?

— Nous n'avons parlé qu'une dizaine de minutes, quinze au maximum. Je pense avoir raccroché à 22 h 45 au plus tard.

— Attendiez-vous son appel ? Vous avait-il dit qu'il avait l'intention de vous téléphoner ?

Joanna réfléchit un instant avant de répondre.

— Non. Je savais qu'il devait étudier le rapport du Dr Brungart, mais il ne m'avait pas prévenue de son appel.

— A-t-il mentionné quelqu'un en particulier ? Quelqu'un qu'il aurait vu dans la soirée ?

Joanna secoua la tête.

— Non. J'ai eu l'impression qu'il était seul dans les locaux. Il était fatigué, et un peu à cran.

L'inspecteur prit quelques notes dans un carnet, qu'elle referma avant de le glisser dans son sac à main.

— Ce qui expliquerait la lenteur de ses réflexes, souligna-t-elle. Lorsque l'on est fatigué, on résiste moins bien à un agresseur…

— Ou à quoi que ce soit d'autre, souligna Joanna, soudain assaillie par la vision d'un microscope s'abattant sur le crâne de son ami.

De nouveau, le visage de Dibell se figea.

— Une dernière chose, docteur Cavendish. Se peut-il que vous soyez responsable de la mort de M. Vine ? Et qu'étant votre meilleur ami, Phil Stonehaven ait accepté de vous couvrir ?

2.

Joanna se raidit, prise de court. Elle ne s'attendait pas à une telle question de la part de l'inspecteur — et encore moins au regard accusateur qui l'accompagnait.

— Je... Phil n'accepterait pas de...

— Impossible, interrompit Brad d'un ton indigné. Il est absolument impossible que le Dr Cavendish ait commis la moindre erreur en salle d'opération : le rapport préliminaire du Dr Brungart est très clair sur ce point.

Laverne Dibell esquissa un sourire entendu.

— Ce n'était qu'une question parmi d'autres, monsieur McPherson... A bientôt, docteur, ajouta-t-elle en adressant un signe amical à Joanna. Nous aurons l'occasion de nous revoir, j'en suis sûre.

La jeune femme acquiesça, la gorge nouée. S'agissait-il d'un avertissement ? L'inspecteur n'en dit pas davantage. Tournant les talons, elle rejoignit son équipe de techniciens au travail dans le bureau de Phil.

— Qu'est-ce qui te prend, bon sang ? explosa Brad. Tu n'as aucun instinct de survie !

Elle releva le menton, vexée.

— Bien sûr que si.

— Dans ce cas, pourquoi n'as-tu pas réfuté l'accusation de Dibell ?

— J'ai dit que Phil...

— Ce n'est pas pareil ! coupa-t-il, clairement agacé. Affirmer que Phil était trop intègre pour couvrir une erreur médicale ne signifie pas nécessairement que tu n'as rien à te reprocher. Tu comprends ?

— Désolée. Je n'ai pas ton sens du détail. Et puisque Phil n'est pas là pour se défendre, il faut bien que je...

Elle s'interrompit, prise de vertige, tandis que l'atroce réalité lui revenait à la mémoire. Phil n'*était* plus là pour se défendre. Jamais plus.

Elle lança un regard éperdu à Brad. A quoi bon poursuivre cette discussion ? Elle n'avait plus l'énergie de parler, tout à coup. Mais il la saisit par les épaules, manifestement déterminé à lui faire partager son point de vue.

— Tu ne peux pas t'autoriser le moindre doute, Joanna. Tu dois avoir la conviction absolue que tu n'as rien fait qui ait pu causer la mort d'Elliott Vine. Et si on te pose la question, tu dois être en mesure d'y répondre fermement, au lieu de perdre tes moyens comme tu viens de le faire.

Ses yeux étincelaient de colère, ce qui ne lui était jamais arrivé lorsqu'ils sortaient ensemble. Au cours de leur brève liaison, il n'avait jamais pris la peine de la contredire ou de critiquer son comportement. Et Joanna, loin de s'en réjouir, y avait vu une preuve supplémentaire du peu d'intérêt qu'il lui portait : sa neutralité lui semblait aussi hypocrite que ses compliments les mieux tournés. S'était-elle montrée trop méfiante ? Peut-être. Car sa colère paraissait bien réelle, ce matin.

Si réelle, qu'elle en fut presque flattée. Brad l'estimait donc assez pour remiser son calme aux orties ? Voilà qui était nouveau.

— Tu m'entends, Dish ? insista-t-il comme elle ne répondait pas.

35

— Arrête de m'appeler comme ça. Et, oui, je t'ai entendu. Mais ce n'est pas aussi simple que tu le penses.

Il la saisit vivement par la main et l'entraîna vers l'ascenseur où, sans un mot, il appuya sur le bouton du huitième étage où se trouvait le restaurant du personnel. C'était une vaste pièce élégamment décorée, dont les gigantesques baies vitrées offraient une vue à trois cent soixante degrés sur la capitale de l'Illinois. Lorsqu'ils poussèrent la porte, le soleil se levait sur le lac Michigan et sa forêt de mâts dressés vers le ciel. Au sud, les rayons dorés jouaient déjà sur les façades de verre et d'acier du quartier d'affaires.

Le spectacle était superbe, mais Brad ne s'y attarda guère. Joanna occupait toutes ses pensées. Joanna et sa dangereuse propension à douter d'elle-même.

Sans lâcher sa main, il la guida à travers la salle à manger déserte vers une table située près de l'immense baie vitrée.

— Assieds-toi.

Elle secoua la tête.

— Brad, je…

— Assieds-toi, répéta-t-il d'un ton quasi glacial.

Elle s'exécuta de mauvaise grâce. Il s'assit à son tour et commanda du café et des croissants. Lorsque la jeune serveuse déposa le tout sur la table, il lui demanda gentiment un pot de lait supplémentaire « pour le Dr Cavendish, qui est restée une grande enfant », et ponctua ses propos d'un clin d'œil espiègle.

Flattée par l'attention qu'il lui portait, la jeune fille sourit largement, avant de courir en cuisine, dont elle rapporta un grand pot de lait mousseux.

— Tu devrais avoir honte, marmonna Joanna d'un ton réprobateur lorsqu'ils furent de nouveau seuls.

— De quoi ? La séduction fait partie de la vie. C'est un petit jeu agréable et sans conséquences, qui plaît à tout le monde. Enfin... à presque tout le monde, se reprit-il en lui lançant un regard irrité. Parce que *certains* d'entre nous sont trop sérieux pour se laisser aller à de telles frivolités.

— Désolée de gâcher ton plaisir, rétorqua-t-elle sèchement. Vu les circonstances, je préfère me consacrer à la recherche de la vérité.

— La vérité, justement, c'est que tu n'as rien à voir avec la mort d'Elliott Vine. Tu le sais, n'est-ce pas ?

— Je te l'ai déjà dit : ce n'est pas si simple.

— Vraiment ? Pour moi, ça l'est. Tu n'as pas tué cet homme. C'est aussi simple que ça !

Sans répondre, elle versa la moitié du pichet de lait dans sa tasse — si brusquement que le liquide déborda et se répandit sur la soucoupe.

— Ça ne va pas ? s'enquit-il, alarmé.

Elle laissa échapper un profond soupir.

— Non, ça ne va pas. J'ai peur, Brad. Cette histoire me fiche la frousse.

— Tout le monde a peur, tempéra-t-il. C'est parfaitement normal.

— Peut-être, mais tout le monde n'était pas en salle d'opération quand le cœur de Vine a lâché.

Elle releva la tête, planta ses yeux bleus dans les siens. Sa blondeur et ses traits délicats, hérités d'une grand-mère flamande, évoquaient les beautés simples et troublantes des tableaux de Vermeer.

— Sa mort me rend malade, poursuivit-elle d'une voix tremblante. Je n'arrête pas d'y penser en me demandant ce que j'aurais pu faire pour l'éviter.

— Et... ? Y avait-il quelque chose à faire ?

— Non. Rabern est persuadé que je n'ai pas tout essayé, mais je ne lui en veux pas. De son point de vue, rien ne laissait prévoir ce qui allait arriver.

— Pourtant, tu as tout fait pour sauver la vie d'Elliott, n'est-ce pas ?

Elle ferma les yeux, comme submergée de désespoir.

— Je crois que oui... mais je peux me tromper, lâcha-t-elle dans un murmure.

Il faillit lui rappeler que personne n'était à l'abri d'une erreur, puis se ravisa. En temps normal, elle était très sûre d'elle. Assez, en tout cas, pour exercer le pouvoir de vie et de mort sur des centaines de patients sans flancher. Mais les accusations de Chip Vine l'avaient violemment heurtée... et ses certitudes avaient fondu comme neige au soleil.

A présent, elle semblait douter de tout. Et principalement d'elle-même.

— Réfléchis, intima-t-il en se penchant vers elle. Sur le moment, as-tu envisagé toutes les solutions possibles ? T'es-tu posé toutes les questions qu'un anesthésiste doit se poser dans ce genre de situation ?

— Oui.

— As-tu tenté tout ce qui était en ton pouvoir pour ranimer Elliott Vine ?

— Oui.

— Alors, cesse d'y penser.

Elle soupira.

— Je comprends où tu veux en venir. Et je suis d'accord avec toi. D'après ce que je sais...

— Je t'arrête tout de suite. Si tu emploies ce genre de formule pendant la conférence de presse, tu donneras l'impression que tu n'es pas certaine d'avoir fait tout ce qui était humainement possible pour sauver Elliott Vine.

Et les journalistes mettront les pratiques de l'hôpital en question.

— Et s'ils avaient raison ? répliqua-t-elle en cherchant son regard.

Il fronça les sourcils.

— Que veux-tu dire ?

— Nous n'avons pas toutes les cartes en main. Phil semblait sur une piste, quand il m'a appelée hier soir.

— Comment cela ? Avait-il remarqué un détail qui aurait échappé à Brungart ?

— C'est l'impression qu'il m'a donnée, confirma-t-elle. Selon lui, Vine est mort d'un collapsus circulatoire.

— C'est-à-dire ?

— Un malaise soudain et très intense, caractérisé par une brusque chute de tension.

— Comment pouvait-il deviner un truc pareil en regardant des prélèvements au microscope ?

— Une altération quelconque dans les tissus, j'imagine. En tout cas, c'était assez clair pour qu'il me demande de venir voir ces prélèvements par moi-même. Il voulait que je lui rende visite ce matin dès mon arrivée à l'hôpital pour lui donner mon avis...

Troublé, Brad réfléchit un instant. Jusqu'à présent, il n'avait pas mis en doute les conclusions du Dr Brungart. Mais les révélations de Joanna le forçaient à envisager les faits de manière différente — et nettement plus inquiétante.

— Es-tu certaine que Phil n'a pas émis ses conclusions à la légère ? interrogea-t-il enfin.

— Non. C'est le type le plus brillant que je connaisse. Le genre à remplir les grilles de mots croisés du *New York Times* en vingt minutes chrono... Aucun problème ne lui résiste. Si l'autopsie de Vine comportait une anomalie, même infime, tu peux lui faire confiance pour l'avoir trouvée.

Brad termina son café et s'en servit un autre, avant de vider le reste de la cafetière dans la tasse à moitié pleine de sa compagne.

— Admettons que Phil ait raison, reprit-il. Sais-tu ce qui aurait pu causer ce fameux collapsus ?

— Une septicémie, mais Phil lui-même semblait avoir rejeté cette hypothèse : la température de Vine était stable et son taux de globules blancs n'avait pas augmenté. Restent le poison, les piqûres d'insectes ou d'abeilles, la perte de sang... Autant de suppositions franchement improbables dans le cas d'Elliott.

— Si je comprends bien, qu'il s'agisse d'une crise cardiaque ou d'un collapsus, le décès de Vine n'est imputable à personne en particulier ?

Un soupir exaspéré accueillit ses propos.

— C'est peut-être le discours que tu dois tenir aux journalistes, mais...

— Le discours que je *dois* tenir ? Qu'essaies-tu d'insinuer, au juste ?

— Inutile de monter sur tes grands chevaux. Ton travail consiste à présenter les faits sous le meilleur jour possible, non ?

— Une minute, protesta-t-il. Depuis quand dénigres-tu mon travail ?

— Je ne dénigre rien. Simplement, je...

— J'ai l'impression que tu cherches à régler tes comptes avec moi. Je me trompe ?

Elle baissa les yeux pour éviter son regard.

— Cette conversation n'a rien à voir avec ce qui s'est passé entre nous.

— Bien sûr que si, Dish. Et tu le sais aussi bien que moi. Pourquoi prétendre le contraire ?

Il lui suffisait de la regarder pour lire la vérité sur son visage : elle n'avait rien oublié des brefs instants de bonheur qu'ils avaient partagés, quelques mois plus tôt.

— Tu pourrais au moins avoir la franchise de reconnaître que nous étions heureux ensemble ! insista-t-il, agacé par son silence.

— *Étions* est le temps juste, répliqua-t-elle d'un ton qui se voulait glacial.

Mais ses doigts tremblaient sur la nappe immaculée. Et Brad comprit qu'elle se laissait envahir, comme lui, par les images de leur histoire commune. Revivait-elle la passion, la chaleur, le désir qui les avaient poussés l'un vers l'autre ? Se remémorait-elle le plaisir qu'elle avait goûté entre ses bras ?

Questions apparemment futiles, alors que deux hommes avaient trouvé la mort au cours des dernières quarante-huit heures… mais en cet instant, rien ne lui semblait plus essentiel que de convaincre Joanna. De la forcer à admettre qu'elle avait brisé ce qui s'annonçait comme une magnifique histoire d'amour.

— Pourquoi trembles-tu, si tu ne ressens plus rien pour moi ?

Elle s'empourpra.

— Le désir ne suffit pas à faire un couple.

— Je le sais, et alors ? Est-ce tout ce que nous avions en commun, d'après toi ?

— Brad… Nous ne sommes pas seuls, protesta-t-elle en jetant un regard autour elle.

— Réponds à ma question : le week-end que nous avons passé ensemble se résume-t-il à une partie de jambes en l'air ?

Elle affronta son regard un instant, avant de répondre :

41

— Oui. En tout cas, *tu* ne m'as jamais laissé entendre le contraire.

Il la dévisagea avec stupéfaction. Lorsqu'elle avait mis fin à leur liaison, au début du mois de mai, sous prétexte qu'elle ne croyait ni en leur avenir ni aux sentiments qu'il professait, il s'était persuadé qu'elle le regretterait plus que lui. Trois semaines plus tard, il pensait même avoir surmonté leur rupture... mais l'été, puis le mois de septembre avaient passé sans qu'il jette un seul regard aux jolies femmes qui croisaient sa route. Et l'automne qui s'annonçait ne ferait que confirmer l'évidence : Joanna lui manquait bien plus qu'il ne voulait l'admettre.

Mais comment reconquérir une femme qui refusait de lui faire confiance ?

— Ce n'est pas vrai, objecta-t-il fermement, optant pour la franchise. Tu étais bien plus pour moi qu'un agréable passe-temps. Je te l'ai dit, non ?

— Oui... mais toute ton attitude criait le contraire.

— Mon *attitude* ? Bon sang, Joanna, quand accepteras-tu enfin de me croire ? Mon métier est-il si dégradant à tes yeux ? Oui, je passe mes journées à présenter les faits sous le meilleur jour possible, mais...

— C'est exactement ce que je te reproche. Tu ferais passer un meurtrier pour un agneau, s'il le fallait. Tu as le don d'enjoliver la réalité, de la rendre moins troublante, et cela...

— ... fait de moi un menteur professionnel, incapable de sincérité dans sa vie privée ?

Il ne dissimulait plus sa colère, à présent. Les insinuations de Joanna étaient aussi injustes qu'infondées. Et puisqu'elles avaient nourri l'échec de leur relation, elles méritaient toute leur attention. Mais l'heure, hélas, n'était guère propice à une conversation aussi intime.

Joanna le comprit sans doute, qui ramena sagement la discussion dans un cadre strictement professionnel :

— Je te renvoie la question, répliqua-t-elle. A ton avis, les propos que tu tiendras pendant la conférence de presse feront-ils de toi un menteur ?

— Réfléchis un peu, intima-t-il en s'exhortant au calme. Penses-tu que je serais crédible si j'affirmais que personne n'est responsable de la mort d'Elliott Vine alors que tout indiquerait le contraire ?

— Hélas, oui…, répondit-elle. Et c'est là qu'est le problème, justement. Tant que nous n'avons pas la certitude que la mort de Vine est bien un accident, tu ne devrais pas te compromettre en dégageant l'hôpital de toute responsabilité. Je suis persuadée que Phil était sur une piste — c'est peut-être ce qui l'a tué, d'ailleurs.

Il écarquilla les yeux.

— Tu penses que Phil a été assassiné parce qu'il s'apprêtait à découvrir la vérité ?

— Je n'en sais rien, mais je n'arrive pas à croire à cette histoire de sans-abri. C'est presque trop logique pour être vrai !

— Peut-être, mais la soupe populaire de sœur Marie Bernadette attire un public potentiellement dangereux, tu ne peux pas le nier.

Elle écarta son argument d'une main impatiente.

— Ecoute-moi. Un, Elliott Vine meurt en salle d'opération après un triple pontage réussi. Deux, sa mort est annoncée à la presse avant même que son corps soit transféré à l'institut médico-légal. Et l'informateur anonyme prend soin d'insinuer qu'il s'agirait d'une erreur médicale maquillée en accident.

— Joanna…

— Trois, le soir même, le médecin chargé de relire le rapport d'autopsie est assassiné avant d'avoir pu terminer son travail. *Assassiné*, Brad, tu m'entends ? Phil a été assassiné pendant qu'il examinait les tissus prélevés sur le corps de Vine !

Baissant la tête, elle fit un effort visible pour refouler les larmes qui lui montaient aux yeux. Emu, Brad tendit la main vers elle et noua ses doigts aux siens. Sans doute commençait-elle tout juste à accepter la terrible vérité : son ami avait été tué la nuit dernière. Et rien ne le ramènerait parmi eux. Cette certitude glacée se lisait sur son visage chaque fois qu'elle se surprenait à évoquer Phil au présent, pour se reprendre aussitôt, l'air hagard. Sa douleur était si palpable qu'il se sentit gagné, lui aussi, par son désespoir...

A cette différence près qu'il ne pouvait se le permettre. Joanna avait besoin de lui. Et il devait mobiliser toute son énergie pour séduire la meute de journalistes convoqués au rez-de-chaussée.

— Admettons que tu aies raison, avança-t-il en baissant la voix. Si Phil a été tué *parce qu*'il relisait l'autopsie de Vine, cela signifie que...

— ... la mort de Vine est bien plus suspecte qu'elle n'y paraît.

— Autrement dit, quelqu'un aurait été assez subtil pour tuer Vine en salle d'opération au nez et à la barbe d'une équipe d'excellents spécialistes, sans que personne ne se doute de rien, puis assez brutal pour lancer un microscope à la tête de Phil avant qu'il ne découvre le pot aux roses ? Désolé, mais ton histoire ne tient pas la route.

— Je sais, admit-elle avec dépit. Ce n'est peut-être rien de plus qu'une série de coïncidences... mais je n'y crois pas. Et si *je* n'y crois pas, penses-tu que les journalistes ne feront pas le rapprochement entre la mort de Vine et celle de Phil ?

Lâchant sa main, il la porta distraitement à son cou. Etait-ce le manque de sommeil ou un début de migraine ? Une douleur lancinante lui raidissait la nuque. Une fois de plus, il s'efforça de prendre le recul nécessaire pour dominer la situation. Le raisonnement de Joanna l'intriguait, le troublait même. Parce qu'elle refusait d'admettre l'évidence et pointait le doigt sur l'étrangeté de certains événements... Mais son intuition ne suffirait pas à renverser la théorie officielle. Jusqu'à preuve du contraire, Elliott Vine était mort d'un arrêt cardiaque en salle d'opération et Phil Stonehaven avait été assassiné par un vagabond : décès regrettables, mais nullement liés l'un à l'autre.

Restait à en convaincre les journalistes.

— Si seulement ils n'étaient pas morts le même jour..., marmonna-t-il pour lui-même.

Joanna se crispa. Brad avait-il seulement conscience de l'indécence de ses propos ? Sans doute pas. Tout entier tourné vers la conférence à venir, il n'envisageait déjà plus le meurtre de Phil comme un drame humain... mais comme une source de problèmes supplémentaires, à l'heure où le Rose Memorial luttait pour ne pas être accusé d'erreur médicale sur la personne d'Elliott Vine.

Il ne faisait que son travail, bien sûr. Recruté à grands frais par sœur Marie Bernadette pour redorer le blason de l'établissement face à des concurrents extrêmement offensifs, il en avait fait l'un des hôpitaux les plus prisés du pays. Admirative, Joanna ne niait pas son succès. Pourtant, son détachement la heurtait. Et elle ne pouvait s'empêcher de lui en vouloir, alors qu'elle aurait dû réagir par l'indifférence.

Mais serait-elle jamais indifférente à cet homme ? Cinq mois s'étaient écoulés depuis leur rupture, et il suffisait qu'il la *regarde* pour éveiller son désir. Ses propos les plus anodins lui semblaient à double sens, ses moindres gestes ravivaient des souvenirs enfouis… et son professionnalisme l'irritait au lieu de la rassurer.

Elle était si familière de ses méthodes, à présent, qu'elle pouvait quasiment prédire mot pour mot le discours qu'il tiendrait à la presse ce matin :

« Le décès de M. Elliott Vine, chef du personnel, et l'assassinat, la nuit dernière, du Dr Phil Stonehaven ont plongé le personnel et les membres du conseil d'administration du Rose Memorial Hospital en état de choc. Nos condoléances les plus sincères vont à leurs familles et à leurs proches amis.

« D'après l'autopsie pratiquée aussitôt après le décès de M. Vine, aucun membre de l'équipe médicale ne peut être rendu responsable de l'arrêt cardiaque qui lui a coûté la vie. Il n'y a donc eu ni négligence ni erreur médicale de notre part.

« Enfin, dans le cas du meurtre du Dr Stonehaven, pour lequel une enquête judiciaire est en cours, tout invite à penser qu'il aurait été agressé et laissé pour mort par un des sans-abri qui fréquentent la soupe populaire attenante aux laboratoires de pathologie. »

Un discours lisse, efficace… et trompeur, conclut-elle *in petto* en redressant la tête.

— Je sais que tu es dans une position délicate, convint-elle doucement. Mais je te conjure de réfléchir à ce que tu vas dire… Parce qu'en servant les intérêts de l'hôpital tu iras peut-être à l'encontre de la vérité.

Il esquissa un sourire las.

46

— Qu'attends-tu de moi, au juste ? Veux-tu que j'explique à la presse que *quelqu'un* — nous ne savons pas qui, mais vous pouvez nous faire confiance pour le démasquer — a tué M. Vine en salle d'opération avant d'assassiner le Dr Stonehaven pour éviter d'être découvert ?

Elle retint un soupir. Brad avait raison : elle n'avait pas le moindre début de preuve pour étayer ses accusations. Difficile, dans ces conditions, d'exiger qu'il s'écarte de la version officielle !

Elle s'apprêtait à répondre, lorsque son téléphone bipa : Beth Stonehaven venait de lui laisser un message.

— C'est Beth, murmura-t-elle, le cœur serré. Je dois y aller.

Elle se leva, mais Brad la retint d'un geste.

— Dis-lui que je pense à elle…

Ses yeux noisette s'étaient emplis d'une compassion dont elle ne l'aurait pas cru capable. Il avait rencontré Beth et Phil par son intermédiaire, un soir qu'elle avait invité ses amis à la rejoindre dans le petit café flamand que tenait sa grand-mère.

— Je le ferai, promit-elle.

Il lui caressa doucement la joue.

— Fais attention à toi, Dish.

— Attention à quoi ? répliqua-t-elle en réprimant un frisson de désir.

— Je… Fais attention à ce que tu dis, c'est tout.

Elle hocha la tête — et le quitta avant de se jeter dans ses bras.

3.

Joanna rejoignit Beth à son bureau installé dans les locaux administratifs de l'hôpital. Il était à peine 7 heures du matin, mais le soleil entrait déjà largement dans la pièce, ravivant les couleurs des dessins d'enfants accrochés au mur. Près de la porte, un grand clown en carton accueillait les visiteurs, un large sourire aux lèvres… Elle évita de le regarder, de peur de fondre en larmes.

Son amie se leva en la voyant entrer. Ses cheveux sombres, coupés au carré, et ses lunettes fuchsia masquaient en partie son visage, si blême que Joanna eut un mouvement de recul. Ses yeux noisette, d'ordinaire pétillants de gaieté, n'étaient plus qu'un puits de douleur.

— Beth…, murmura-t-elle en l'attirant dans ses bras. Je suis tellement…

— Chut… Ne dis rien. Moi aussi.

Elles s'étreignirent un moment en silence, puis Beth se redressa, forçant un sourire. Personne, pas même Joanna, ne l'avait jamais vue pleurer. Et elle ne ferait sans doute pas exception à la règle aujourd'hui. Aussi vaillante que pudique, elle cédait rarement au découragement et refusait de s'apitoyer sur son sort.

Rejetant ses frêles épaules en arrière, elle s'adossa contre le bureau.

— Te souviens-tu du jour où Phil a décroché son poste de recherche à l'institut médico-légal ? s'enquit-elle tout à trac. Il était si heureux !

— Oui… Il souriait presque autant que lorsqu'il m'a annoncé que tu étais enceinte de Kimmy.

Beth se mordit la lèvre, comme pour retenir un sanglot.

— Il n'avait aucun sens pratique… Si tu avais vu sa tête quand je lui ai expliqué que j'attendais un enfant ! Il était complètement abasourdi — d'autant que nous n'étions pas encore mariés, à l'époque…

Elle leva les yeux vers le plafond, d'où pendait une énorme araignée en taffetas rose.

— Sais-tu pourquoi il est revenu au Rose Memorial à la fin de sa thèse ? reprit-elle. Il adorait son travail de médecin légiste, mais il ne pouvait plus supporter la violence. Le spectacle permanent de la noirceur humaine.

Joanna s'en souvenait parfaitement. Elle avait eu à ce sujet de longues discussions avec Phil, avant qu'il ne décide de rejeter l'offre d'embauche de son directeur de recherche. Psychologiquement épuisé, il n'avait pas caché son dégoût pour les dossiers sordides qui atterrissaient sur son bureau de médecin légiste. Et c'était avec soulagement qu'il avait retrouvé son poste à l'hôpital, où les patients mouraient, certes, mais rarement assassinés.

Elle préféra taire ses souvenirs, cependant : Beth n'aurait que faire de sa nostalgie. En revanche, la discussion l'aiderait peut-être à exprimer sa colère, à s'insurger contre le meurtre brutal, profondément barbare, de l'homme qui partageait sa vie.

Aussi garda-t-elle le silence, attendant que son amie déroule le flot de ses réflexions… mais, fidèle à elle-même, cette dernière changea abruptement de sujet.

— Qui t'a appris la nouvelle ?

— Brad.

Beth haussa les sourcils.

— Vous êtes de nouveau ensemble ?

— Ne me dis pas que ça t'intéresse ! Pas *maintenant*...

Son amie haussa les épaules.

— Pourquoi pas ? Ce qui m'arrive ne m'empêche pas de vouloir ton bonheur, Jo. Je souhaite que tu sois aussi heureuse que Phil et moi...

Elle s'interrompit, le souffle court, comme si elle venait de recevoir un coup à l'estomac. Ou au cœur. La terrible réalité l'assaillait au détour des conversations les plus anodines : Phil était *mort*. Et Joanna, qui peinait elle-même à admettre la nouvelle, ne pouvait rien pour alléger sa douleur.

Timidement pourtant, elle se risqua à lui présenter les condoléances de Brad. Beth l'écouta, puis hocha gravement la tête.

— Si je ne le vois pas aujourd'hui, tu le remercieras pour moi, d'accord ?

— Bien sûr.

Sa promesse parut satisfaire son amie, qui reprit courageusement le fil de la conversation.

— Brad a été prévenu par la police, j'imagine.

— Oui. Ils appellent toujours le responsable des relations publiques, dans ce genre de cas... Quand il est arrivé sur les lieux, il a appuyé sur la touche « bis » du téléphone de Phil et...

— Il est tombé sur toi, devina Beth. Tu es donc la dernière personne à qui Phil ait parlé...

Comme Joanna acquiesçait, son amie commenta :

— Ça me fait plaisir.

Ses lèvres se remirent à trembler, et elle secoua la tête. Puis son regard, comme un aimant, se porta sur sa main gauche — et les trois joncs entrelacés qui ornaient son annulaire.

— Je… Je n'ai pas eu le temps de le joindre la nuit dernière, confia-t-elle d'une voix brisée. J'étais occupée avec les enfants, puis je me suis couchée et… il ne m'a pas téléphoné non plus.

Brusquement dévorée de culpabilité, Joanna se laissa tomber dans un fauteuil, face à son amie.

— Je donnerais n'importe quoi pour effacer les dernières quarante-huit heures, murmura-t-elle.

— Moi aussi… Ce matin, je me disais que… Si seulement nous étions équipés d'un sixième sens, j'aurais su qu'il… J'aurais su qu'il était en danger, poursuivit-elle en luttant contre les larmes. Nous aurions pu nous dire au revoir, alors… J'aurais tellement voulu lui dire au revoir !

Joanna se mordit la lèvre pour retenir le sanglot qui lui montait à la gorge. Beth et Phil formaient le couple le plus solide, le plus équilibré, le plus amoureux qui soit. Complices mais toujours curieux l'un de l'autre, ils semblaient à l'abri de la routine comme des disputes — un vrai miracle, à l'époque des mariages éclairs ! Ils s'étaient rencontrés dix ans plus tôt et se réjouissaient à l'idée de vieillir ensemble…

Mais le destin en avait décidé autrement. En poussant la cruauté jusqu'à priver Beth d'un baiser d'adieu. Elle ne s'en plaindrait pas— puisqu'elle ne se plaignait *jamais* — mais le regret de n'avoir pu, une dernière fois, serrer son mari dans ses bras la poursuivrait sans doute longtemps.

— Comment vont les enfants ? s'enquit Joanna.

— Je ne leur ai encore rien dit. Ils dormaient quand je suis partie.

Elle hocha la tête. Beth avait raison : sans doute était-ce mieux ainsi... A quoi bon réveiller les garçonnets à l'aube pour leur apprendre que leur papa était mort ? La jeune fille au pair s'occuperait d'eux à leur réveil, comme à l'accoutumée.

— Veux-tu que je passe chez toi cet après-midi ? suggéra-t-elle. Ce sera peut-être plus facile, si je suis là quand tu leur apprendras la nouvelle.

— C'est gentil, Jo... mais il vaut mieux que je sois seule avec eux. Mes parents arriveront dans l'après-midi.

Otant ses lunettes, elle frotta ses yeux rougis, avant de reprendre :

— Ecoute... Nous aurons certainement le temps d'en reparler, mais j'aimerais te raconter quelque chose. Et te demander ton avis. Tu as encore une minute ?

— Evidemment. De quoi s'agit-il ?

— Quand je suis allée voir Phil à son bureau, hier après-midi, il était en train de relire le rapport d'autopsie d'Elliott Vine. Il m'a prévenue qu'il en avait pour un moment et j'ai deviné qu'il ne rentrerait pas dîner. Il voulait à tout prix découvrir ce qui s'était passé en salle d'opération... C'est à ce sujet qu'il t'a téléphoné, j'imagine ?

— Oui.

— Il se faisait du souci pour toi. Moi aussi, d'ailleurs. Je voulais t'appeler pour en parler, mais les enfants ne m'ont pas lâchée de la soirée.

Joanna sourit, émue.

— Ça me touche beaucoup... mais vous n'auriez pas dû vous inquiéter pour moi. Ce sont des accidents qui arrivent. Je suis une grande fille, tu sais...

Beth vint s'asseoir près d'elle, dans le rocking-chair qu'elle réservait aux parents de ses jeunes patients.

— Phil n'en doutait pas, Jo : il savait que tu étais parfaitement capable de surmonter cette épreuve… Ce qui l'inquiétait, en revanche, c'était l'attitude de Rabern. D'après lui, Hensel était en réunion avec Brungart depuis le début de l'après-midi. Et tout laissait supposer qu'ils discutaient de la mort de Vine. Sans toi.

Joanna se raidit, envahie d'un mauvais pressentiment. Son amie, et Phil avant elle, avaient raison : si les Drs Rabern et Brungart s'étaient effectivement réunis la veille pour discuter de l'autopsie d'Elliott Vine, ils *auraient dû* l'inviter à les rejoindre.

— Pourquoi Phil ne m'en a-t-il rien dit, quand il m'a téléphoné dans la soirée ?

Beth haussa les épaules.

— Tu le connais : il détestait jouer les mauvaises langues. Mais il était inquiet. Rabern répétait à qui voulait l'entendre que tu avais forcément commis une erreur… puisqu'il n'en avait commis aucune. Il avait l'intention d'en persuader Brungart, d'ailleurs.

Un frisson d'appréhension lui glaça la nuque. Toute sa vie, elle s'était méfiée des beaux parleurs sans foi ni loi. Et Rabern, apparemment, en faisait partie.

— Es-tu en train de me dire qu'Hensel a délibérément tenté d'influencer les conclusions de Ruth Brungart ?

— Tout à fait.

— Mais c'est… c'est contraire à toute éthique ! Je ne peux pas croire qu'il ferait une chose pareille.

— Moi si. Et ce n'est pas tout. D'après Phil, Rabern a l'intention de réclamer une enquête interne à Lucy Chavez sur ton compte. Il a dit à plusieurs personnes qu'il souhaitait, je le cite, « connaître l'opinion de tes pairs sur tes compétences professionnelles ».

53

Responsable des relations internes, Lucy Chavez passait le plus clair de son temps à flatter les médecins les plus en vue de l'hôpital pour s'assurer de leur fidélité. Elle s'occupait également des évaluations professionnelles et servait de médiateur en cas de conflit entre collègues.

En confiant son dossier à Lucy Chavez, Rabern ne pouvait avoir qu'une idée en tête.

— Il veut saper ma réputation, énonça-t-elle d'une voix vibrante de colère.

Beth hocha la tête.

— Oui… Il ne prendra sans doute pas le risque de te mettre directement en cause, mais il peut te faire beaucoup de mal en se contentant d'insinuer que tu es responsable de la mort de Vine.

Joanna se sentit glacée de l'intérieur. Certes, Rabern n'avait pas caché son irritation lorsque le cœur de Vine avait lâché. Mais de là à influencer l'anatomopathologiste pour faire porter les soupçons sur elle…

C'était aussi lâche que révoltant. Le code de la profession interdisait aux médecins de dénigrer leurs collègues — même lorsqu'ils étaient en droit de le faire.

Ce qui était loin d'être le cas de Rabern.

— Beth… Je suis peut-être idiote, mais si Hensel a réussi à convaincre Brungart de mon incompétence, pourquoi son rapport d'autopsie ne fait-il pas état de ces accusations ?

— Réfléchis… Crois-tu vraiment que la direction prendrait le risque d'accuser nommément un membre de l'équipe médicale ? Cela reviendrait à admettre l'éventualité d'un homicide par imprudence… ou d'un meurtre avec préméditation ! Il faudrait donc en avertir la police — ce que Rabern veut éviter à tout prix. Aux yeux de la loi, il te défendra bec et ongles, parce que l'image de l'hôpital est en jeu. Mais il n'hésitera pas à te dénigrer en coulisses, à miner ta réputation auprès de la direction ou de tes collègues. En cela, le rapport d'autopsie lui sera utile, d'ailleurs : Hensel pourra insinuer qu'en lavant l'hôpital de toute responsabilité Brungart tentait en fait de couvrir *tes* erreurs.

Joanna sentit son estomac se nouer. Beth avait raison : sa carrière était en jeu. Tout ce qu'elle avait bâti au cours des années précédentes pouvait s'effondrer comme un château de cartes, sur la foi d'une rumeur malfaisante. Si Rabern mettait effectivement sa stratégie en pratique, ses relations avec ses collègues s'en trouveraient peu à peu menacées. L'un après l'autre, les cinq anesthésistes qui l'avaient recrutée refuseraient de travailler avec elle ; les chirurgiens ne requérraient plus ses services lors des opérations les plus délicates. Et le conseil d'administration finirait par la désavouer...

Le scénario, bien qu'alarmiste, paraissait hautement vraisemblable. Pourtant, Phil ne lui en avait pas soufflé mot. La sachant fragilisée par le décès de Vine, il avait voulu la protéger des attaques de Rabern.

— Je comprends mieux, à présent...

— Quoi donc ? interrogea Beth.

— Hier soir, Phil cherchait la preuve de mon innocence — le détail qui prouverait à tous que je n'ai pas commis d'erreur en salle d'opération.

Cette certitude la laissa en état de choc. Si Phil ne s'était pas mis en tête de prouver son innocence, il aurait passé la soirée chez lui à lire, à discuter avec sa femme ou à lui faire tendrement l'amour.

Au lieu de cela, il était resté à son bureau pour examiner des lamelles au microscope. Avec tant d'attention qu'il avait fini par deviner le pourquoi et le comment du décès d'Elliott Vine.

Et il l'avait payé de sa vie.

Colère, chagrin, culpabilité… elle n'était plus qu'un bloc d'émotions mêlées lorsqu'elle quitta Beth pour rejoindre l'un de ses patients, qui se faisait opérer d'une dilatation intestinale en début de matinée. Par bonheur, l'opération se déroula à merveille — et s'acheva au moment précis où Joanna devait se rendre à la conférence de presse. Elle se dirigeait vers les vestiaires quand son bip se mit à sonner furieusement : on la réclamait pour une césarienne en service d'obstétrique.

Sa décision fut vite prise : elle n'irait pas à la conférence. La direction déplorerait sûrement son absence. Brad aussi. Car les journalistes seraient moins enclins à la peindre sous les traits d'un docteur sans scrupules s'ils la voyaient telle qu'elle était : non pas un médecin anonyme soupçonné d'incompétence… mais une anesthésiste de chair et de sang, une femme éprise de son métier, vouée au bien-être de ses patients.

La tactique, infaillible, aurait certainement fait mouche. Mais, pour l'heure, une patiente avait besoin d'elle. Et Brad attendrait.

Après avoir revêtu un uniforme propre, elle se rendit auprès de la future maman, qu'elle rassura de son mieux avant de lui administrer les anesthésiques requis. Il était temps. L'enfant, épuisé par les longues heures de travail, avait presque cessé de bouger. Quant à la mère, elle n'avait plus la force nécessaire pour accoucher normalement. Comme toujours dans ce genre de situation, l'équipe médicale opéra dans un silence tendu, rythmé par les observations de la sage-femme et de l'obstétricien. Les yeux rivés sur son écran de contrôle, Joanna surveilla étroitement l'encéphalogramme du bébé, priant pour qu'il supporte bien l'anesthésie pratiquée sur sa mère.

Ses vœux furent exaucés : l'enfant naquit dix-sept minutes après le début de l'intervention. Et son premier cri, perçant, rassura toute l'équipe sur son état de santé. Tandis que deux infirmières lui apportaient les premiers soins, Joanna reporta son attention sur la jeune accouchée, toujours profondément endormie. Elle vérifiait l'étanchéité de son intraveineuse, lorsque Ron Mendelssohn, l'un de ses collègues anesthésistes, entra dans la pièce.

— La direction t'appelle en salle de conférences, lui annonça-t-il à voix basse, le visage dissimulé derrière un masque chirurgical vert pâle. Je suis chargé de te remplacer. Où en êtes-vous ?

— C'est gentil, Ron, mais ils attendront. Je n'ai pas terminé.

— Ta carrière est en jeu. Ne discute pas.

Le ton de sa voix, bien plus pressant qu'à l'ordinaire, ne laissait aucun doute sur l'urgence de la situation.

— Bon... Puisque tu insistes, concéda-t-elle.

Elle se leva à contrecœur, vérifia le bon fonctionnement de son équipement, puis tendit ses notes à Ron, qui avait déjà pris sa place derrière les écrans de contrôle. Après avoir répondu à ses questions, elle se pencha une dernière fois sur la jeune maman, et prit congé du chirurgien.

Traversant les vestiaires à la hâte, elle jeta son masque et ses gants dans la poubelle prévue à cet effet, puis elle emprunta le long couloir qui menait au bâtiment principal. Situé au sous-sol, l'amphithéâtre avait été construit pour accueillir symposiums et conférences médicales, répondant ainsi à la demande d'une large partie du personnel. Depuis peu, Brad l'utilisait également pour recevoir la presse, comme ce matin.

Un buffet avait été dressé dans le vaste hall attenant à l'amphithéâtre, mais les journalistes n'avaient rien laissé du petit déjeuner continental qui leur avait été servi. Joanna se contenta donc d'une tasse de café, dans laquelle elle versa sa dose de crème habituelle, avant de se diriger vers l'entrée latérale, située à gauche de l'estrade.

Elle se glissa à l'intérieur et referma la porte sur elle. Assis derrière la table qui accueillait les intervenants, Chip Vine achevait de lire un communiqué. Son épouse, Peggy, se tenait à son côté. Pharmacienne de formation, elle était responsable de l'inventaire et de la distribution des médicaments aux différents services de l'hôpital.

— Mon père savait qu'il prenait un risque en subissant ce triple pontage, mais il avait lui-même choisi l'équipe médicale chargée de l'opération et ne doutait pas de l'excellence de leurs compétences professionnelles, affirma Chip. Je partageais, et je partage encore son opinion. Ma femme et moi-même sommes convaincus que mon père a reçu les meilleurs soins possibles.

Un léger brouhaha emplit la salle tandis que le jeune homme éteignait son micro, mettant fin à son intervention. Jacob Delvecchio, le directeur général du Rose Memorial, lui glissa quelques mots à l'oreille. Hensel Rabern et Ruth Brungart se tenaient à la droite de ce dernier, puis venaient Brad et sœur Marie Bernadette, assise à l'extrémité de la table.

Bien qu'elle n'exerçât plus que des fonctions honorifiques au Rose Memorial, la présence de la religieuse, qui avait longtemps dirigé l'établissement, suffisait à conférer un caractère solennel à l'assemblée. Sa crédibilité intacte, et la grande popularité dont elle jouissait auprès des habitants de Chicago comme de la communauté médicale, participaient

Maudit Brad ! Il aurait pu la prévenir, maugréa-t-elle intérieurement en grimpant les quelques marches qui la séparaient de l'estrade. Plaquant un sourire sur son visage, elle longea la table sous les regards curieux de l'assemblée.

Eteignant discrètement son micro, Brad se pencha vers elle.

— Par ici, Dish, intima-t-il. Et pas un mot, je t'en prie. Tu es là pour être vue, rien d'autre !

— Cesse de m'appeler comme ça si tu veux que je t'obéisse.

— Souris : ils te regardent.

Il lui pinça affectueusement le bras puis ralluma son micro en se tournant vers le public.

— Comme je vous le disais, le Dr Cavendish a travaillé toute la matinée. A l'heure où nous commencions cette conférence de presse, elle était appelée d'urgence auprès d'une future mère contrainte de subir une césarienne. Tout s'est très bien passé, naturellement... mais le Dr Cavendish n'a guère eu le loisir de préparer un discours. Pour cette raison, je lui ai simplement demandé de venir vous rencontrer, mais elle ne répondra pas à vos questions. Vous trouverez le résumé de son parcours professionnel dans le dossier qui vous a été remis à l'entrée de l'amphithéâtre, ainsi que les commentaires des différents médecins qui ont été amenés à travailler avec elle au Rose Memorial. Ainsi que vous pourrez le constater, ses états de service sont absolument irréprochables et...

— A d'autres ! glapit Mme Vance. La moitié de l'hôpital sait que le Dr Rabern n'avait aucune envie d'opérer Vine avec elle !

Sans laisser à Brad le temps de répondre, Hensel se dressa de toute sa hauteur, l'air furieux.

— Ça suffit ! Vous ne me forcerez pas à accuser cette jeune femme, tonna-t-il en pointant le doigt vers Joanna. Nous avons un code de l'honneur entre médecins, figurez-vous ! Et je ne laisserai pas une bande de chacals…

— Docteur Rabern, interrompit Brad d'un ton respectueux mais assez ferme pour faire taire le chirurgien.

Avait-il perçu la colère qui s'était emparée de Joanna ? Sans doute, car il posa une main apaisante sur son bras, l'incitant à garder le silence. Muette d'indignation, elle se força à fixer le fond de la salle pour éviter de lancer un regard assassin à Rabern — et faire ainsi la joie des cameramen qui épiaient ses moindres gestes.

Mais, sous son calme apparent, elle bouillait intérieurement. Car Rabern venait de la trahir de la pire des façons. Tout en affectant de la soutenir contre vents et marées, il s'était en fait arrangé pour la dénigrer : la qualifier de « jeune femme » revenait à lui refuser le titre même de médecin.

L'assemblée ne s'y trompa pas : un silence de plomb succéda à l'intervention de Rabern, chacun attendant que Brad reprenne la parole. Parviendrait-il à nuancer l'impact des insinuations d'Hensel ? Joanna le souhaitait. Car elle ne pouvait pas — elle ne devait *surtout* pas — tenter de se défendre elle-même : les journalistes jugeraient outrées ses protestations d'innocence. Et auraient vite fait de la reléguer au banc des accusés.

— Mme Vance a raison, convint-il posément : le Dr Rabern avait été surpris d'apprendre que l'anesthésie de M. Vine serait confiée au Dr Cavendish. Il n'avait jamais eu l'occasion de travailler avec elle, et sa relative jeunesse suscitait sa réserve. Il ne s'en était pas caché, d'ailleurs… mais M. Vine a réitéré son choix, et le Dr Rabern s'est incliné. Comme vous le savez sans doute, la confiance qu'un patient porte à ses médecins joue un rôle essentiel dans le succès des soins qui lui seront offerts. Et je ne crains pas de dire que M. Elliott Vine vouait une confiance totale au Dr Cavendish.

— Si elle n'a rien à cacher, pourquoi ne la laissez-vous pas parler ? lança une voisine de Shelley Vance.

Brad secoua la tête, prêt à réitérer son refus de livrer Joanna aux questions du public, quand sœur Marie Bernadette s'avança. Il recula d'un pas pour lui laisser la place.

La vieille dame attendit patiemment que le silence soit revenu puis, glissant un bras sous celui de Joanna, elle prit la parole avec sa vigueur coutumière.

— Nous ne sommes pas réunis ce matin pour faire le procès du Dr Cavendish. Nous ne tentons pas non plus de dissimuler une erreur médicale : aucune des personnes présentes à cette table ne tolérerait une telle attitude. Le Rose Memorial Hospital dispose d'une commission d'enquête interne créée bien avant la naissance de nombre d'entre vous, et c'est devant cette commission que doivent se régler les affaires de cette sorte — ce qui n'est pas, je le répète, le cas du décès de M. Vine. Vous savez maintenant tout ce qu'il y a à savoir sur cette affaire. Et si nous éprouvons le besoin de vous communiquer des informations supplémentaires, M. MacPherson vous contactera sans tarder.

— Mais, ma sœur, deux de vos médecins ont trouvé la mort au cours des dernières quarante-huit heures ! protesta un homme au fond de la salle.

— C'est vrai. Notre communauté est en deuil. Et nous espérons que vous aurez une pensée pour ces hommes et leur famille lorsque vous rédigerez le compte rendu de cette conférence.

— Et Miles Cornwall, alors ? insista un autre journaliste. Il était médecin chez vous, lui aussi, quand il a été tué !

Qu'en dites-vous, M. Mac Pherson ? Comment pouvez-vous prétendre que cet hôpital fonctionne normalement, alors que trois de vos collègues ont trouvé la mort dans des circonstances étranges au cours des six derniers mois !

Les journalistes approuvèrent bruyamment, chacun réclamant des explications... puis, peu à peu, le silence retomba sur l'assemblée — et tous les regards se tournèrent vers Brad. Ses épaules s'étaient légèrement affaissées, et Joanna lui trouva l'air las, comme s'il manquait d'énergie, tout à coup.

Pourtant, tel un boxeur retournant sur le ring, il fit un pas en avant, carra les épaules, et affronta la salle houleuse. D'une voix si basse que ses auditeurs furent contraints au silence le plus total.

— La vie de notre hôpital a récemment été marquée par de nombreuses tragédies, c'est indéniable. Je ne peux pas non plus nier que le Dr Cornwall a été assassiné, et le projet Hem-Synon, sur lequel il travaillait, sévèrement compromis. Cependant, à l'époque comme aujourd'hui, nous avons toujours été francs avec vous. Nous avons admis nos faiblesses, fait face aux erreurs de certains de nos membres dirigeants et enduré les aléas de l'enquête criminelle sous vos yeux, sans rien vous cacher. Et pas un instant nous n'avons cessé de promulguer à nos patients les soins, l'attention et la compassion pour lesquels nous sommes reconnus dans tout le pays. Pour toutes ces raisons, je vous demande de réfléchir longuement à la façon dont vous rapporterez les événements qui ont agité le Rose Memorial ces derniers jours. Peindre notre établissement sous les couleurs les plus sombres ne serait pas seulement profondément injuste ; ce serait une insulte à nos médecins, nos infirmières, nos techniciens qui donnent quotidiennement le meilleur d'eux-mêmes pour assurer la bonne marche de cette vénérable institution.

Brad se tut et, reculant d'un pas, il prit le bras de sœur Marie Bernadette, offrant un front uni au public… qui les applaudit avec enthousiasme.

Joanna poussa un soupir de soulagement. Il avait réussi l'impossible : d'une assemblée hostile, il s'était fait une alliée. Il remercia les participants et les invita à se rassembler dans le hall, où des rafraîchissements leur seraient servis, puis il rangea ses dossiers dans sa serviette et se dirigea vers la sortie. Un journaliste demeuré au premier rang l'interpella près de la porte :

— Une dernière question, Brad.

— Oui, Daniel ?

— J'ai cru comprendre que le Dr Stonehaven étudiait le rapport d'autopsie de M. Vine lorsqu'il a été assassiné. Dans ces conditions, est-il possible que sa mort soit liée, d'une façon ou d'une autre, à celle de M. Vine ?

— Pas que nous sachions.

La réponse, évasive, n'aurait certainement pas satisfait la redoutable Shelley Vance… mais cette dernière avait déjà quitté l'amphithéâtre, comme la majorité de ses confrères. Chip et Peggy Vine, Ruth Brungart, Hensel Rabern et Jacob Delvecchio s'étaient éclipsés eux aussi, regagnant directement les couloirs de l'hôpital par une porte latérale.

Joanna retint un soupir de soulagement. Contrairement à ses prévisions alarmistes, seul un journaliste avait établi le rapprochement entre le décès de Vine et celui de Phil… et sa question était demeurée inaperçue. Rassérénée, elle rejoignit Brad dans le hall, où il dispensait déjà son charme et ses manières affables à l'envoyé spécial d'une station de radio locale. Elle mordit dans un croissant, fit quelques sourires à la ronde, puis, estimant son devoir accompli, elle se dirigea prudemment vers l'ascenseur.

Mais Brad l'arrêta d'un geste.

— Attends. J'aimerais te présenter quelqu'un.

Elle fit la moue.

— Une autre fois. J'ai deux opérations prévues cet après-midi et…

— Plus maintenant. Elles viennent d'être reportées à la semaine prochaine.

Déconcertée, elle se laissa guider vers le buffet, sur lequel Brad posa son assiette vide, avant de se tourner vers un des derniers journalistes présents — celui-là même qui l'avait interrogé sur l'éventualité d'un lien entre le décès de Vine et celui de Phil.

— Daniel, voici le Dr Cavendish, annonça-t-il, avant de se tourner vers elle pour ajouter : Joanna, je te présente Daniel Feldman, du *Chicago Tribune*. L'un de mes meilleurs amis.

L'ami en question — mince, élégant, l'œil vif — la gratifia d'un sourire chaleureux.

— Vous êtes Dish, n'est-ce pas ?

Elle lança une œillade furieuse à Brad, avant de rectifier :

— Appelez-moi Joanna.

— Et moi, Daniel, répliqua-t-il en lui tendant la main. Nous nous sommes déjà rencontrés, en fait : à l'occasion d'un match de football interprofessionnel. J'étais ailier remplaçant dans l'équipe de Brad, et je l'ai entendu vous appeler Dish… Vous vous souvenez ?

— Oui, ça me revient, acquiesça-t-elle en lui rendant son sourire. Vous aviez marqué un but de la tête.

66

Elle s'en souvenait d'autant mieux que c'était à l'issue de ce match que Phil, Beth, Brad et elle étaient allés dîner chez sa grand-mère.

— Vous me flattez ! ironisa-t-il, puis il se tourna vers Brad. Alors, que voulais-tu me dire ?

— Je voulais te poser une question.

— Vas-y.

— Pourquoi m'as-tu demandé s'il y avait un rapport entre le meurtre de Phil Stonehaven et la mort d'Elliott Vine ?

Le sourire de Daniel s'effaça, et ce fut d'un air grave qu'il leur répondit :

— Primo, parce que la question s'impose d'elle-même. Ces deux décès coup sur coup... Je ne peux pas croire à une coïncidence. Et secundo, il se trouve que Ruth Brungart est ma tante. Et, avec tout le respect que je lui dois, j'ai l'impression qu'elle s'est mise dans de sales draps.

— Qu'est-ce qui te fait croire une chose pareille ? s'étonna Brad.

— Un peu de patience, intima le journaliste en croisant les bras. Tu sais que ma femme est chef de la rubrique Société, au journal ?

Comme Brad opinait, il poursuivit :

— Eh bien, d'après Rachel, Hensel Rabern est amateur de jolies femmes. Il adore parader en ville au bras de ses conquêtes — rarement la même, d'ailleurs. Pourtant, la semaine dernière, c'est au bras de ma chère vieille tante qu'il s'est affiché : il l'a emmenée dîner deux soirs de suite. Etrange, non ?

— Je ne vois pas pourquoi, objecta Joanna, dubitative.

— Vraiment ? Moi, ça me surprend. Tante Ruth et Rabern se connaissent depuis plus de trente ans. Ils ne se sont jamais fréquentés en dehors de l'hôpital. Pourquoi, alors, avoir dîné ensemble la semaine dernière — sinon pour évoquer l'opération d'Elliott Vine, prévue quelques jours plus tard ?

Joanna croisa le regard de Brad. Où brillait une appréhension similaire à la sienne.

— Ton discours était très émouvant, mon vieux, conclut Daniel. Mais tu ne m'ôteras pas de la tête que cette affaire sent le roussi.

4.

— Attends un peu, Daniel, marmonna Brad. Penses-tu réellement que ta tante ait accepté de couvrir les erreurs de Rabern ?

Le journaliste se rembrunit.

— Ce n'est qu'une intuition… Tante Ruth est pétrie de principes, mais elle est très généreuse et ne sait pas refuser un service.

— Mais il n'y avait aucune erreur à couvrir ! protesta Joanna. J'ai assisté à l'opération, et je peux vous garantir que Rabern a respecté le protocole à la lettre. Le cœur d'Elliott Vine avait redémarré quand les problèmes ont commencé.

Daniel Feldman haussa les épaules.

— Il doit bien y avoir une explication, pourtant. Je ne peux pas admettre que le meurtre de Stonehaven soit une coïncidence. Mais c'est peut-être seulement ma façon de voir le monde…

Celle de Joanna n'était guère différente : elle aussi avait relié la mort de Phil à celle de Vine dès qu'elle avait appris la nouvelle. Quant au soudain intérêt que Rabern avait manifesté pour Ruth Brungart quelques jours avant d'opérer Elliott, il était pour le moins suspect, en effet. D'autant que Rabern ne s'était pas comporté en enfant de chœur par la suite : après avoir discrètement dénigré Joanna au cours des dernières quarante-huit heures, il venait de la trahir devant un parterre de journalistes, au beau milieu d'une conférence de presse.

Feldman avait raison : les événements des derniers jours semblaient répondre à une suite logique. Mais laquelle ? Et qui tirait les ficelles de ce jeu macabre ?

— Je suis sûr que Joanna partage ton avis, avança Brad. Elle est d'un naturel soupçonneux, elle aussi...

Daniel esquissa un sourire mi-figue mi-raisin.

— Ravi de l'apprendre : les grands paranoïaques adorent la compagnie ! railla-t-il, puis, croisant le regard de la jeune femme, il reprit : faites attention à vous, tout de même.

Elle sourit.

— Ne vous inquiétez pas.

Brad le remercia pour les renseignements qu'il leur avait fournis, puis les deux hommes prirent congé en se promettant de se retrouver autour d'un verre à l'issue du prochain match de leur équipe de football. Demeurés seuls, Brad et Joanna se dirigèrent ensuite vers les ascenseurs pour regagner l'hôpital.

— Alors, comment va Beth ? s'enquit-il. Raconte-moi tout.

Joanna laissa échapper un soupir.

— Elle est impressionnante de calme et de courage, comme toujours... Nous avons parlé de Phil, bien sûr, mais elle voulait aussi me raconter la conversation qu'elle a eue avec lui hier après-midi, lorsqu'elle est venue le trouver dans son bureau avant de rentrer chez elle. Phil était furieux contre Ruth et Hensel, qui s'étaient enfermés en salle de réunion pour discuter de l'autopsie de Vine.

— Et alors ? Etait-ce anormal de leur part ? interrogea-t-il en appelant l'ascenseur.

70

— Au sens strict, non. Mais Phil y voyait une provocation à mon égard.

— Pourquoi ?

— Puisqu'ils se retrouvaient pour évoquer l'opération de Vine, il aurait été naturel qu'ils m'invitent à les rejoindre. Question de courtoisie professionnelle.

Comme l'ascenseur se faisait attendre, elle leva un regard interrogateur vers Brad, avant de reprendre :

— Je ne vais pas au bloc, si je comprends bien ?

Une lueur malicieuse brilla dans ses yeux noisette.

— Non. Les deux opérations prévues pour cet après-midi ont été reportées. En revanche, tu es convoquée en réunion de service à midi.

— Comment le sais-tu ? répliqua-t-elle, vexée de n'avoir pas été prévenue par ses collègues.

— C'est très simple : quand je ne t'ai pas vue arriver à la conférence, j'ai téléphoné au bloc pour savoir où tu étais. Mendelssohn a accepté de terminer la césarienne à ta place, et Crider m'a appris ton changement d'emploi du temps. J'ai promis de transmettre le message. Alors Dish, acheva-t-il en lui lançant un regard moqueur, peut-on parler d'un complot ?

— Non. Et cesse de m'appeler Dish.

L'expression de Brad se fit plus moqueuse encore, et elle se mordit la lèvre, piquée au vif. Il lisait en elle comme dans un livre ouvert — à croire qu'elle était incapable de feindre ou de dissimuler ses émotions en sa présence. Elle n'était pourtant pas si transparente, d'ordinaire !

— Je ne vois pas pourquoi je me priverais de ce plaisir, minauda-t-il. A moins que tu aies une *excellente* raison à me fournir ?

71

L'ascenseur tardant toujours, un petit groupe s'était formé autour d'eux, et Joanna dut se pencher vers Brad pour ne pas être entendue des autres médecins lorsqu'elle répondit :

— J'en ai plusieurs. Un, je n'aime pas ce surnom. Deux, je t'ai demandé plusieurs fois de ne plus l'utiliser. Trois, je…

— Pourquoi ne l'aimes-tu pas ? interrompit-il, plantant ses yeux dans les siens.

Son souffle s'accéléra. Cet homme la rendait folle. Comment résister à son charme ? Il l'attirait comme un papillon vers la lumière. Détournant le regard, elle se força à lui répondre froidement.

— Parce que c'est infantilisant…

— Tu te trompes.

A cet instant, l'ascenseur s'arrêta enfin à leur niveau, et le petit groupe s'engouffra dans la cabine. Joanna se faufila dans un coin, heureuse d'échapper à Brad, qui se trouva coincé entre une infirmière corpulente et un chariot de médicaments.

Le répit, hélas, fut de courte durée : la cabine se vida de ses occupants au troisième étage. Et personne ne les rejoignit au quatrième. Mal à l'aise, Joanna évita le regard de Brad, tandis que l'ascenseur reprenait sa course vers le sixième étage, terme de leur trajet. Ils venaient de dépasser le cinquième, lorsque Brad fit un pas en avant… et enclencha fermement le bouton d'arrêt d'urgence.

La cabine s'immobilisa dans un grincement sinistre. Agée d'une vingtaine d'années, elle n'appréciait manifestement pas le traitement que Brad lui faisait subir. Redémarrerait-elle ? Rien n'était moins sûr, estima Joanna. Brad, lui, ne se posait pas la question : mâchoires serrées, épaules crispées, il offrait l'image même de la colère.

Une colère dirigée contre *elle*, pour la seconde fois de la journée, comprit-elle avec un soupçon de perversité.

— Ecoute, intima-t-il. Tu viens de perdre un de tes meilleurs amis, soit. Mais ce n'est pas une raison pour mépriser le peu d'intimité que nous partageons encore. Il y a six mois, tu n'avais rien contre le fait que je t'appelle Dish. Tu trouvais même ça sexy, rappelle-toi ! Eh bien, c'est pareil aujourd'hui : je te désire de la même façon, Joanna. Et je peux t'assurer qu'il n'y a rien d' « infantilisant » là-dedans !

— Arrête, je t'en prie.

— Pas question.

Il lâcha le bouton d'arrêt. La cabine ne bougea pas d'un pouce. Ils étaient coincés.

Ou plutôt, *elle* était coincée dans un ascenseur... avec un homme si séduisant. Qui s'avançait vers elle comme un tigre sur sa proie. Tétanisée, elle recula d'un pas — et se heurta au mur de la cabine.

— Pourquoi m'arrêterais-je ? reprit-il d'une voix dangereusement suave. Nous venons de passer la matinée ensemble... Tu peux bien m'accorder quelques secondes supplémentaires, non ?

— Tu as quelque chose à me dire ? répliqua-t-elle, tentant de maîtriser le tremblement de sa voix.

— Oui. Et ce n'est pas ce que tu crois. Je n'ai aucune intention de m'excuser : tu as apprécié notre « relation » autant que moi, il me semble. Nous sommes sortis ensemble plusieurs fois, puis nous avons passé un week-end — un seul ! — à faire l'amour... et tout cela était si agréable que je commençais à faire des projets d'avenir, figure-toi.

— C'est faux ! Tu réécris l'histoire.

— Absolument pas.

Cette fois, elle ne trouva rien à répondre. La stupeur la plus complète dut se peindre sur son visage, car Brad esquissa un sourire victorieux. Mais comment aurait-elle pu dissimuler le choc qu'elle éprouvait ? Pas un instant au cours de leur brève relation, elle n'avait soupçonné qu'il puisse échafauder des projets d'avenir — l'expression semblait en totale contradiction avec tout ce qu'il était.

Ou tout ce qu'elle s'était *imaginé* de lui ?

Mais elle s'égarait. Et Brad en avait profité pour s'approcher davantage : plaquant une main contre le mur, tout près de sa joue, il venait de rendre sa fuite impossible. La gorge nouée, elle ferma brièvement les yeux. Et revit cette même main, ces longs doigts brunis par le soleil, effleurer la peau nue de ses seins, dans la pénombre de sa chambre...

Elle se raidit. Le souvenir l'avait traversée comme un éclair. Et laissée pantelante de désir.

— Brad...

— Tais-toi. Laisse-moi t'embrasser.

Il se pencha, les yeux rivés sur ses lèvres. Déjà, elle sentait la chaleur de son torse contre le sien.

— Pourquoi ? protesta-t-elle faiblement.

— Parce que je suis un peu fou, peut-être. Mais tu ne devrais pas poser la question, Jo. Tu passes ton temps à me demander des explications que tu refuses de croire. Quand j'essaie de me défendre, tu m'accuses d'utiliser les mots à mon avantage. Alors, je fais la seule chose qui me reste à faire : j'agis. Et comme je sais que tu en as autant envie que moi...

— Alors, fais-le. Embrasse-moi, intima-t-elle en saisissant les revers de sa veste, d'un geste si impérieux qu'elle espéra l'intimider.

Elle se trompait. Sa bouche se plissa en un sourire sensuel, son regard se fit plus brûlant encore. Emprisonnant

74

son menton entre ses doigts, il fit courir son pouce sur ses lèvres, très doucement, comme pour l'inciter au silence. Ou endormir ses dernières résistances.

Déjà, d'ailleurs, elle ne résistait plus. Frémissante sous sa caresse, elle n'avait plus ni la volonté ni l'envie de s'opposer à son assaut. Lorsqu'il se pencha pour déposer un ruban de baisers sur la peau satinée de son cou, un gémissement de plaisir lui échappa. Il y avait si longtemps qu'elle n'avait été embrassée ainsi !

— Laisse-toi faire, murmura-t-il. Maintenant.

Joignant le geste à la parole, il posa ses lèvres sur les siennes. Chaudes, fougueuses, sensuelles… Des lèvres à se damner. Comment avait-elle pu oublier le plaisir que cet homme savait lui procurer ? Une douce chaleur se répandit en elle, dénouant les tensions des dernières quarante-huit heures. Elle se hissa sur la pointe des pieds pour mieux s'offrir à son étreinte tandis qu'il glissait une main au creux de son dos, la plaquant contre l'évidence de son désir.

Les rouages de l'ascenseur grincèrent de plus belle, mais elle ne les entendit pas. Bouleversée par l'intensité des sensations qui la traversaient, elle perdit conscience de l'endroit où ils se trouvaient. Seule comptait la bouche de Brad sur la sienne. Et le bonheur qu'elle éprouvait à lui rendre son baiser. Sans arrière-pensée, sans regrets, sans…

Reculant d'un pas, il mit brusquement fin à leur étreinte. Et tendit la main vers le bouton du sixième étage. Comme par miracle, la vieille cabine s'ébranla, reprenant son ascension interrompue.

Médusée, Joanna garda le silence. La tête lui tournait ; la situation lui échappait complètement. Pourquoi Brad l'avait-il embrassée pour s'écarter d'elle aussitôt après ?

Il baissa les yeux, et, l'espace d'un instant, il parut aussi troublé par leur baiser qu'elle l'était elle-même.

— Ecoute, marmonna-t-il, je sais que ce n'est pas le meilleur moment pour en parler, mais je…

L'ascenseur s'immobilisa brusquement. Ils étaient arrivés à destination.

— Je te demande de réfléchir à ce qui vient de se passer, poursuivit Brad d'un ton raffermi. Tu as répondu à mon baiser, Jo… Essaie de t'en souvenir lorsque tu seras tentée de réécrire l'histoire.

Les portes s'ouvrirent dans un ultime grincement. Pivotant sur ses talons, Brad s'engagea dans le couloir. Indécise, Joanna le regarda s'éloigner. Devait-elle le rappeler ? Jamais on ne l'avait embrassée dans un ascenseur. Ni à l'hôpital, d'ailleurs. Surprise, elle n'avait pas eu le loisir de protester. Puis, c'est vrai, elle s'était laissé faire ; elle avait même tremblé entre ses bras… et c'était avec une sincérité troublante qu'elle lui avait finalement rendu son baiser.

— Attends, murmura-t-elle.

Qu'espérait-elle, au juste ? Elle n'en avait pas la moindre idée. Mais il lui paraissait essentiel, soudain, de retenir Brad auprès d'elle.

Trop tard. A peine avait-elle pris sa décision que les portes de l'ascenseur se refermèrent dans un grand cliquetis métallique. Sans grand espoir, elle tendit la main devant elle, persuadée que la cellule électrique ne fonctionnait plus. Le cliquetis s'amplifia, les panneaux tremblèrent… puis s'ouvrirent de nouveau.

Brad se retourna.

— Tu viens, oui ou non ?

— J'arrive.

Les quelques pas qui les séparaient lui suffirent à reprendre le contrôle d'elle-même. Ou, du moins, à en donner l'impression à Brad. Et ce fut d'un air déterminé

qu'elle se dirigea vers le vestiaire qu'elle partageait avec
ses collègues du service de réanimation.

— Je vais me changer, annonça-t-elle. On se retrouve
un peu plus tard ?

— Joanna…

Il l'avait saisie par le coude, la forçant à s'arrêter. Elle
releva le menton.

— Quoi ?

— Me promets-tu de réfléchir à ce qui vient de se
passer ?

La mort de Vine, les accusations de Rabern, le meurtre
de Phil… les sujets de préoccupation s'étaient multipliés
depuis deux jours. Mais le baiser de Brad — et son envie
d'y répondre — n'en méritait pas moins réflexion.

— Oui, assura-t-elle avec sincérité. J'y réfléchirai.

Un vif soulagement se peignit sur le visage de Brad.

— Bien. Je vais interroger l'infirmière en chef pour
essayer de savoir qui a révélé la mort de Vine à la presse.
Ensuite, nous pourrions peut-être aller rendre visite au
Dr Brungart ?

— Excellente idée, approuva-t-elle. Le temps de me
changer, et je te rejoins.

Avait-il perçu son anxiété à l'idée d'affronter seule la
redoutable Ruth Brungart ? Peut-être. Quoi qu'il en soit,
il se montrait bien plus attentionné à son égard qu'elle ne
l'aurait imaginé.

S'était-elle à ce point trompée sur son compte l'été
dernier ?

La question la hanta jusque dans les vestiaires, où elle se
changea rapidement, troquant sa blouse et son pantalon de
travail contre une longue jupe de soie prune, un chemisier
assorti et de jolis escarpins noirs — une tenue de secours
qu'elle gardait dans son casier pour les réunions impré-

vues. Ainsi vêtue, elle se sentait féminine, sûre d'elle et de ses compétences. « Avec une touche de rouge à lèvres, ce sera parfait », songea-t-elle en réprimant un frisson d'angoisse. Levant les yeux vers le petit miroir accroché contre la porte, elle appliqua un peu de rouge au pinceau sur ses lèvres pâles, se repoudra le nez, passa un peigne dans ses cheveux...

Rien n'y fit : la perspective de rencontrer Ruth Brungart l'emplissait d'appréhension. En lieu et place de son ensemble prune, elle aurait volontiers enfilé une armure en acier trempé...

Réprimant un soupir, elle verrouilla son casier, jeta ses vêtements de travail dans un panier à linge sale et regagna le couloir principal, où elle trouva Brad en grande conversation avec Iris Kensdale, l'infirmière en chef du bloc opératoire. Cette dernière sourit largement à Joanna, qui s'avançait à leur rencontre.

— Bonjour, ma belle ! s'exclama-t-elle avec sa verve habituelle. Alors, il paraît que Rabern est sur le sentier de la guerre ?

— Prêt à sonner l'hallali, confirma Joanna d'un air sombre. Il m'abattra au moindre faux pas... C'est à se demander quelle mouche l'a piqué !

— Ne cherche pas d'explication : c'est un vrai goujat, voilà tout. Et lâche, avec ça... Pour ce qui est du coup de fil à la presse, je disais justement à Brad qu'à mon avis ça ne vient pas du service. Mais je ne peux pas en être sûre : depuis qu'ils ont rénové les blocs l'année dernière, tous les postes téléphoniques peuvent passer des appels extérieurs. C'est nettement plus pratique... mais je ne contrôle plus grand-chose ! Bon, je dois retourner travailler. Promets-moi de m'appeler si tu as besoin de quoi que ce soit, Jo !

— Je le ferai. Merci, Iris.

— Avant que vous ne partiez…, ajouta Brad. Puis-je compter sur vous pour redire à vos équipes que personne n'est censé contacter la presse de sa propre initiative ?

L'infirmière hocha la tête, puis s'éloigna sur un dernier sourire. Brad enveloppa alors Joanna d'un regard appréciateur.

— Cette tenue te va à ravir, murmura-t-il.

— Merci. J'espère qu'elle me servira d'armure…

— Pourquoi ? Tu ne te sens pas prête à affronter la vieille renarde dans sa tanière ?

— Disons que je ne suis pas certaine du résultat, admit-elle. Mais elle me doit une explication et j'entends bien la lui réclamer !

— Aurais-tu préféré y aller seule ? s'enquit-il, tandis qu'ils reprenaient le couloir en sens inverse pour rejoindre l'ascenseur.

— Certainement pas ! Quoique…, se reprit-elle après une courte pause. Brungart sera peut-être moins franche en ta présence.

— Pas sûr. Elle me connaît assez pour savoir qu'elle s'en sortira toujours mieux en étant franche avec moi plutôt qu'en complotant derrière mon dos.

L'ascenseur tardant à venir, ils empruntèrent l'escalier pour descendre les six étages qui les séparaient du service d'anatomopathologie. Arrivé sur le palier du premier étage, Brad céda le passage à Joanna, qui s'engagea la première dans le couloir grisâtre. Comme toujours, une forte odeur de formol et d'acétone imprégnait les lieux. Ils passèrent en silence devant le bureau de Phil, placé sous scellés par l'inspecteur Dibell — Joanna s'interdit de ralentir pour ne pas flancher —, et parcoururent encore quelques mètres avant de s'arrêter devant la « tanière » de Ruth Brungart : une vaste pièce donnant sur les jardins du Rose Memorial.

Prenant une profonde inspiration, la jeune femme frappa doucement contre le battant, qui n'était qu'à demi fermé.

— Dr Brungart ? Pouvons-nous entrer ?

La maîtresse des lieux pivota dans son fauteuil, leur offrant son visage sévère, encadré de cheveux gris relevés en chignon.

— Je ne vois pas ce que nous avons à y gagner, mais puisque vous êtes là... Entrez et fermez la porte.

Spacieux et ensoleillé, son bureau faisait la jalousie de ses collaborateurs, qui enviaient à Ruth sa baie vitrée, son luxueux tapis berbère, son plant de lierre grimpant — autant de privilèges réservés à la caste très fermée des chefs de service, dont elle faisait partie depuis plusieurs années. Au mur, une pléiade de diplômes bordés d'acajou attestaient de ses compétences, tandis qu'une dizaine de dessins d'enfants, semblables à ceux qui agrémentaient le bureau de Beth, conféraient une touche de fantaisie bienvenue à ce décor austère.

— Cadeaux de mes petits-neveux, précisa-t-elle sèchement à Joanna, qui les observait du coin de l'œil.

D'un geste, elle leur fit signe de s'asseoir sur les fauteuils qui lui faisaient face, avant de reprendre :

— Alors, que puis-je faire pour vous ?

— Docteur Brungart, commença Joanna, je sais que Phil Stonehaven était troublé par certaines disparités entre ses observations et les vôtres, concernant l'autopsie d'Elliott Vine.

— Je l'ignorais.

— Pourquoi ?

— Il ne m'a pas communiqué ses impressions.

— Pourtant, il savait que vous aviez été fâchée d'apprendre qu'il avait ordonné des tests toxicologiques complémentaires...

— J'étais fâchée, c'est vrai. Et je le suis encore. Mais ce sont les secrétaires du labo qui m'ont informée de ces tests supplémentaires. Phil, lui, n'a pas eu le temps de le faire.

Son menton trembla légèrement, signe que le meurtre de son collaborateur l'affectait davantage qu'elle ne consentait à l'admettre.

— Quand j'ai quitté mon bureau hier, vers 18 heures, poursuivit-elle, il était encore au travail. J'ai préféré m'abstenir d'aller lui parler, puisqu'il aurait été contraire à l'éthique que nous abordions le dossier Vine, dont nous avions tous deux la responsabilité.

— Avez-vous discuté de ce même dossier avec le Dr Rabern ? interrogea Brad en se carrant contre le dossier de son fauteuil.

— Oui, admit-elle sans ciller.

— D'après vous, était-il « éthique » d'aborder ces questions avec le chirurgien responsable de l'opération, avant la parution de votre rapport d'autopsie ? Et, dois-je le préciser, en l'absence de l'anesthésiste concernée ?

Cette fois, les joues pâles de son interlocutrice rosirent imperceptiblement.

— Non. Ce n'était pas très éthique de notre part, en effet.

Elle ne s'attendait visiblement pas à une question aussi abrupte de la part de Brad — Joanna non plus, d'ailleurs —, mais ce dernier y avait sans doute gagné son respect : Brungart avait les obséquieux en horreur.

— Je dois cependant préciser que ma conversation avec le Dr Rabern n'a eu aucun impact sur la lecture que Phil a pu faire de ce dossier, assura-t-elle. La médecine légale n'est pas une science exacte, et il nous paraissait essentiel, à la direction comme à moi-même, d'obtenir de sa part l'analyse la plus objective possible du dossier.

— Pardonnez-moi d'insister, docteur Brungart, reprit Brad, mais est-il exact qu'Hensel Rabern souhaitait connaître vos conclusions avant que vous ne transmettiez votre rapport à la direction ? Il ne s'est pas montré particulièrement discret lorsqu'il est venu discuter avec vous hier, et n'a pas non plus caché son peu d'estime pour le Dr Cavendish.

Ruth Brungart esquissa un sourire contrit.

— Hensel était très affecté par cette affaire. Il s'est peut-être laissé aller à quelques remarques désobligeantes, qui auront été colportées par les plus malveillants d'entre nous. Mais je suis certaine que...

— Il a réitéré ces remarques ce matin, interrompit Joanna. En pleine conférence de presse.

Une lueur de colère brilla dans les yeux de son interlocutrice.

— Hensel n'a rien dit contre vous ! Il a même pris votre défense avec la plus grande vigueur, me semble-t-il.

Joanna dut se faire violence pour taire la réplique incendiaire qui lui montait aux lèvres. Ruth Brungart la traitait avec la même condescendance que Rabern. Quand aurait-elle enfin droit au respect de ses aînés ?

— Je ne suis pas d'accord, rétorqua-t-elle sèchement.

— Vous le seriez si vous étiez plus objective !

— Cessons de jouer la comédie, intervint Brad d'un ton apaisant. L'intervention de Rabern était insultante pour Joanna, et vous le savez très bien, docteur Brungart. Au lieu d'affirmer qu'il ne la tenait pas pour responsable de la mort d'Elliott Vine, il a déclaré que la communauté médicale la soutiendrait quoi qu'il arrive. Ce n'est pas tout à fait la même chose, avouez-le.

La chef du service d'anatomopathologie poussa un soupir de dépit. Le rose qui colorait ses joues un instant plus tôt s'était évanoui, la laissant plus blême que jamais.

— Il ne pensait pas à mal, j'en suis sûre.

— J'aimerais l'être autant que vous, objecta Brad avec une franchise dont Joanna ne l'aurait pas cru capable. Avez-vous trouvé la moindre indication impliquant la responsabilité du Dr Rabern dans le décès d'Elliott Vine ?

— Non. Aucune.

— Avez-vous eu le moindre doute concernant ma contribution à l'opération ? s'enquit Joanna.

— Non. Vous ne me semblez pas plus responsable qu'Hensel, concéda Ruth.

Rassérénée, Joanna décida de reprendre l'offensive. Puisque Ruth Brungart ne la jugeait pas coupable de la mort de Vine, autant essayer d'en savoir plus.

— Phil était un de mes meilleurs amis, confia-t-elle. Et j'ai de bonnes raisons de penser qu'il est resté travailler hier soir pour trouver la preuve de mon innocence.

— C'est très louable de sa part, mais je crains qu'il ne soit allé trop loin.

— Pas du tout. Il essayait d'être au plus près de la vérité, et vous le savez. Mais le plus important, c'est…

— C'est qu'il n'y a aucune preuve contre qui que ce soit, souligna Brad avec un sourire courtois.

Croisant son regard, Joanna comprit qu'il tentait de la mettre en garde. Sans doute avait-il deviné qu'elle s'apprêtait à dévoiler sa théorie sur le meurtre de Phil… Elle réfléchit un instant. Hormis Brad, Beth et elle, personne ne savait que Phil avait été si près de découvrir la véritable cause du décès de Vine. C'était avec elle, et non avec Ruth, sa chef de service, qu'il avait choisi de partager ses doutes, la veille au soir. C'était à elle qu'il avait parlé de collapsus circulatoire… Ruth Brungart, de son côté, ignorait tout de cette découverte. Et sans doute était-ce mieux ainsi : quel bénéfice Joanna aurait-elle à l'en informer ?

Aucun, admit-elle avec lucidité. Pour l'heure, remettre en cause les conclusions de Brungart ne ferait qu'anéantir le peu de crédibilité qui lui restait. Tant qu'elle n'aurait aucune preuve à verser au dossier, le silence resterait son meilleur allié.

Brad l'avait compris avant elle. Et discrètement tirée du mauvais pas qu'elle s'apprêtait à commettre.

— Et alors ? grommela Brungart en les dévisageant avec impatience. Où voulez-vous en venir, au juste ?

— Eh bien... Le Dr Rabern savait-il que vous aviez innocenté l'équipe médicale au complet ? répliqua-t-il sans se démonter.

— Evidemment.

— Comment expliquez-vous, alors, ses attaques contre le Dr Cavendish ?

Pour la première fois depuis le début de l'entretien, leur interlocutrice sembla chercher ses mots. Et ce fut d'une voix hésitante qu'elle répondit :

— Il faut le comprendre : il est très nerveux en ce moment.

— Je ne vois pas pourquoi, protesta Joanna. Il n'est pas plus à blâmer que n'importe lequel d'entre nous !

— C'est vrai. Et j'admets qu'il a manqué de courtoisie envers vous. Mais essayez de vous mettre à sa place : croyez-vous qu'il envisage avec plaisir de voir sa réputation mise à mal par l'accident cardiaque d'Elliott Vine ? Voilà un chirurgien qui a travaillé toute sa vie pour le bien-être de ses patients. C'est un homme respecté, puissant, au seuil de la retraite... et tout cela serait balayé par une mauvaise rumeur ?

Elle toisa Joanna d'un regard hautain, avant de reprendre :

— Peut-être êtes-vous trop jeune pour comprendre… Moi, je sais ce que c'est que de se lever le matin avec la certitude qu'il faudra bientôt renoncer à tout ce qui vous tient à cœur. Laisser la place à d'autres que vous… Pour un homme comme Hensel, ce n'est pas facile. Mais au moins a-t-il toujours eu la certitude de partir avec les honneurs ! Tandis que maintenant…, marmonna-t-elle en secouant la tête. Il n'aurait jamais dû accepter d'opérer Elliott. Les dés étaient pipés…

Les yeux dans le vague, elle laissa sa phrase en suspens.

— Pourquoi ? insista Brad. Pourquoi aurait-il dû refuser ?

Trop tard : un masque impénétrable s'était abattu sur les traits du Dr Brungart.

— Demandez donc à Lucy Chavez, répliqua-t-elle d'une voix glaciale. Je suis certaine qu'elle saura vous répondre !

5.

Midi avait sonné lorsqu'ils quittèrent le bureau de Ruth Brungart, et Joanna se hâta de regagner le service de réanimation : la réunion prévue avec ses collègues était commencée depuis cinq bonnes minutes, et elle détestait être en retard.

Le cœur serré, Brad regretta de ne pouvoir l'accompagner. Elle semblait si vulnérable, tout à coup ! Parce qu'elle savait sa carrière en jeu, bien sûr. Mais surtout, devina-t-il, parce qu'elle était prisonnière d'une révélation impossible à divulguer.

Phil Stonehaven lui avait laissé entendre que le décès d'Elliott Vine n'était pas aussi accidentel que l'affirmait le rapport de Ruth Brungart. Troublée, Joanna avait commencé à douter de la vérité officielle... puis Phil était mort à son tour, la laissant seule détentrice de son lourd secret. Elle était maintenant persuadée que Vine n'était pas mort d'un arrêt cardiaque...

Mais elle n'avait aucun moyen de le prouver.

Il s'approcha de la baie vitrée, regardant sans les voir les majestueux platanes qui bordaient le parc de l'hôpital, en lisière des eaux sombres du lac Michigan. Si seulement il pouvait aider Joanna ! Mais comment la tirer du piège où elle était tombée sans aggraver encore sa situation ? Pour l'heure, personne ne l'avait directement accusée d'avoir provoqué la mort de Vine — mais personne ne l'avait publiquement défendue non plus. Elle ne pouvait donc ni chercher à se disculper, puisqu'elle n'avait pas été mise en cause, ni évoquer l'hypothèse du meurtre, puisqu'elle ne pouvait apporter l'ombre d'une preuve à la théorie de Phil. Il secoua la tête. N'était-ce pas la situation la plus frustrante qui soit ? Attendre sans rien faire, était-ce donc tout ce qu'elle...

Un léger coup frappé à la porte de son bureau interrompit ses réflexions. Il se redressa et sourit à sœur Marie Bernadette, qui le regardait d'un air interrogateur.

— Entrez, ma sœur, je vous en prie.

La vieille religieuse obtempéra et referma la porte sur elle avec sa discrétion coutumière. Elle avait une façon bien à elle de se déplacer, glissant plus qu'elle ne marchait, son uniforme noir flottant derrière elle comme une capeline gonflée par le vent. Trois entrechats lui suffirent pour le rejoindre, puis elle se hissa sur la pointe des pieds pour déposer un baiser sur sa joue.

— J'ai aperçu Joanna Cavendish dans le couloir, annonça-t-elle. Elle paraissait bouleversée... J'aimerais savoir ce qui se passe, mon garçon. Les rumeurs les plus folles circulent dans l'hôpital depuis hier, mais je n'en crois pas un mot. Peux-tu me donner ta version des faits ?

Brad hocha la tête. Sœur Marie Bernadette était en droit de savoir ce qui se tramait au Rose Memorial. De plus, il serait heureux d'avoir son opinion sur la tournure que prenaient les événements. Il l'invita à s'asseoir sur le canapé, puis approcha un fauteuil pour s'installer en face d'elle.

— Vous avez raison de vous faire du souci pour Joanna, commença-t-il. La situation est plus complexe qu'il n'y paraît.

87

Une lueur de sympathie réchauffa les yeux vifs de son interlocutrice.

— Continue, intima-t-elle.

Il tenta de résumer les faits du mieux possible, depuis la mort de Vine en salle d'opération jusqu'aux propos que leur avait tenus Ruth Brungart, sans oublier l'appel que Phil avait passé à Joanna peu de temps avant sa mort, la veille au soir.

— Si je comprends bien, les soupçons qui pèsent sur le Dr Cavendish sont tels, qu'elle ne peut révéler l'hypothèse de Phil sans aggraver encore son cas, commenta Marie Bernadette. On l'accuserait de chercher à se disculper en évoquant la piste criminelle. Et personne ne prendrait ses révélations au sérieux.

— Tout à fait, approuva Brad. Et puis, soyons lucides : qui accepterait de croire que Vine a été assassiné en salle d'opération sans qu'aucun membre de l'équipe médicale ne s'en aperçoive ? C'est impossible — à moins de relier son masque à un gaz toxique ou d'injecter un poison violent dans son intraveineuse !

— Ce que seule Joanna aurait pu faire.

Brad acquiesça, le cœur lourd.

— Quoi qu'il arrive, nous n'échapperons pas au scandale, reprit-il. J'ai amadoué certains journalistes ce matin, mais ils ne tarderont pas à revenir à la charge, si je ne leur fournis pas de nouveaux éléments. Quant à Joanna, elle se battra jusqu'au bout pour prouver que Phil avait vu juste. Elle aurait peut-être jeté l'éponge s'il n'avait pas été assassiné, mais sa mort n'a fait que renforcer ses soupçons. Elle n'est pas prête à admettre la thèse de l'agression par un SDF...

— Moi non plus, coupa la religieuse avec véhémence.

Elle lui lança un regard aigu, avant d'ajouter :

— Tu l'aideras à mener sa contre-enquête, n'est-ce pas ?

Ce n'était pas une suggestion : c'était un ordre, comprit-il. Et sœur Marie Bernadette savait qu'il lui obéirait sans rechigner. Ne l'avait-elle pas tiré d'un mauvais pas quelques années plus tôt en l'embauchant au Rose Memorial ? Il lui devait sa survie professionnelle. Et s'il pouvait, à son tour, assurer celle de Joanna, il le ferait bien volontiers.

— Ce ne sera pas facile, observa-t-il pensivement. Jacob Delvecchio entrera dans une rage noire quand il apprendra que je soutiens Joanna. Je suis censé donner une bonne image de l'hôpital, pas contribuer à révéler un double meurtre !

— S'il s'agit bien de meurtres, ils doivent être punis — et peu m'importe que l'image de l'hôpital en pâtisse ! Jacob finira par l'admettre, lui aussi. De toute façon, je me charge de le convaincre. Tu auras les mains libres pour seconder Joanna dans ses recherches. Elle est courageuse, cette petite, mais elle n'y arrivera pas toute seule !

Comme toujours lorsqu'elle s'emportait, son accent irlandais avait pris le dessus, et sous sa cornette amidonnée ses yeux brillaient d'une détermination sans faille. Brad, qui doutait lui-même de la thèse officielle, trouva dans sa colère la confirmation de ses soupçons. Sœur Marie Bernadette avait raison : si Vine puis Stonehaven avaient été assassinés, une enquête s'imposait.

— Je l'aiderai, vous avez ma parole. Mais si nous prouvons que la mort d'Elliott est un crime déguisé en accident, le scandale sera tel que l'hôpital risque de ne pas s'en relever, avertit-il.

La religieuse secoua la tête avec vigueur.

— Détrompe-toi. On nous pardonnera plus facilement d'avoir été le théâtre involontaire d'actes odieux que d'avoir cherché à les dissimuler. Ceux qui pratiquent la politique

89

de l'autruche ont rarement les faveurs du grand public, et je doute que nous ayons quoi que ce soit à gagner à nier des faits qui finiront par être connus de tous.

Il réfléchit un instant. Son interlocutrice avait raison : leur établissement ne pouvait pas abriter de criminels. C'était aussi simple que cela. Mais s'il comprenait les motivations de Joanna à démasquer les coupables, Brad ignorait ce qui avait poussé Marie Bernadette à s'intéresser à cette affaire. Intrigué, il lui posa la question.

— Je m'y intéresse parce qu'il n'y a pas de meurtriers parmi les usagers de ma soupe populaire, asséna-t-elle. Et je ne laisserai personne affirmer le contraire.

— Comment pouvez-vous en être sûre ?

— Je verrouille toujours la porte d'accès aux laboratoires avant de partir. C'est une promesse que j'ai faite à la direction quand j'ai ouvert la soupe populaire, et je peux t'assurer que je la respecte scrupuleusement. Cette porte est fermée chaque soir à 22 heures précises. Et je n'ai pas fait exception à la règle hier, quoi qu'en pense la police !

— Comment cela ? L'inspecteur Dibell ne vous a pas crue ?

— D'après elle, les indices sont formels : les empreintes de pas au sol indiquent que quelqu'un s'est introduit dans le bureau de Phil en passant par ma cuisine. Et alors ? Qui prouve que l'assassin n'a pas pris le chemin de la cuisine à rebours après avoir assassiné Phil, pour brouiller les pistes ? Evidemment, ça complique les choses… mais c'est une hypothèse à envisager, non ? En tout cas, *moi*, je sais que cette porte était fermée quand je suis partie.

Brad ne demandait qu'à la croire. Elle n'était pas de ces religieuses confites en dévotion, ignorantes des noirceurs de l'âme humaine. Fine psychologue, elle portait sur ses semblables un regard généreux, mais sans concession. Les

90

habitués de sa soupe populaire, aussi déshérités soient-ils, n'échappaient pas à son regard critique. Si elle avait soupçonné l'un d'eux, elle ne s'en serait pas cachée. Sur ce point, Brad lui faisait entièrement confiance. Mais sur le reste... Comment être certain qu'elle avait effectivement verrouillé la porte avant de partir ? A son âge, un oubli était toujours possible...

— J'en parlerai à Joanna, assura-t-il. Elle sera heureuse d'apprendre que vous corroborez sa théorie.

— Parfait. Je te laisse travailler, à présent, annonça-t-elle en faisant mine de se lever.

Il la retint d'un geste.

— Avant que vous ne partiez, j'aimerais vous poser une question.

— Je t'écoute.

— Lorsque nous avons interrogé Ruth Brungart, tout à l'heure, elle nous a déclaré que Rabern n'aurait pas dû opérer Elliott Vine, parce que « les dés étaient pipés ». Qu'a-t-elle voulu dire, d'après vous ?

Sœur Marie Bernadette fronça les sourcils.

— Aucune idée. Elle n'a pas précisé sa pensée ?

— Pas vraiment. Quand nous avons cherché à comprendre, elle nous a simplement suggéré d'aller en parler avec Lucy Chavez.

Le front de son interlocutrice se plissa sous sa cornette.

— Hmm. Jacob Delvecchio a toute ma confiance, mais il n'est pas à l'abri de certaines erreurs. Et Lucy Chavez en fait partie.

Il se redressa, intrigué. Jamais il n'avait entendue la religieuse médire. Colporter une rumeur, un ragot ou même une opinion défavorable était contraire à ses principes. Lorsqu'elle désapprouvait un comportement, elle allait s'en ouvrir à la personne concernée. Et c'était toujours à l'abri des oreilles indiscrètes qu'elle réglait ses différends.

Pourquoi, alors, lui faire part de la mauvaise opinion qu'elle avait de Lucy Chavez ?

— Ne fais pas cette tête, mon garçon ! le réprimandat-elle gentiment. On dirait que tu as avalé ta langue.

— C'est que je ne m'attendais pas à une opinion aussi tranchée de votre part.

— Ça ne me ressemble pas, c'est vrai. Mais à toi je peux le dire : cette femme ne m'a jamais inspiré confiance. Elle prend son travail beaucoup trop à cœur. Et je crains que certains de nos médecins n'en aient déjà fait les frais.

Ce fut sur un terrain de football désert que Brad retrouva Joanna, en fin d'après-midi. Sa journée de travail achevée, il l'avait cherchée sans succès dans les couloirs du service de réanimation. Ron Mendelssohn, qui buvait un café en salle de repos, lui avait appris, l'air sombre, que « la réunion ne s'était pas bien passée ». Lorsque Joanna les avait rejoints, peu après midi, l'équipe d'anesthésistes était déjà scindée en deux groupes distincts : d'un côté, les anti-Joanna, qui préconisaient de l'évincer pour ne pas chuter avec elle ; de l'autre, les anti-Rabern, prêts à en découdre avec le chirurgien pour l'empêcher de porter atteinte à la réputation de l'une des leurs. Le brouhaha était tel que Joanna, furieuse, était partie en claquant la porte. Ce dont Mendelssohn ne la blâmait pas, d'ailleurs.

Inquiet, Brad avait téléphoné chez elle à deux reprises, avant de se résoudre à quitter l'hôpital. Sur le boulevard circulaire, pris d'une impulsion soudaine, il avait obliqué vers l'ouest, où se trouvait la maison de la jeune femme, plutôt que de continuer vers les quartiers sud, où il résidait.

Le crochet ne lui prendrait qu'une vingtaine de minutes. D'ici là, Joanna serait peut-être rentrée. Autant s'assurer qu'elle allait bien, avant de la laisser seule pour la nuit.

Mais il n'avait pas obtenu davantage de réponse en frappant à sa porte qu'au téléphone. La petite maison était vide. Peut-être s'était-elle rendue au cinéma ou avait-elle décidé de faire les boutiques pour oublier sa journée désastreuse… Dans ce cas, il semblait inutile d'attendre. Il décida malgré tout de passer devant le terrain de football du quartier, à quelques rues de là, pour en avoir le cœur net.

Il avait vu juste. Pieds nus, mais toujours vêtue de l'ensemble prune qu'elle avait mis avant leur entretien avec Ruth Brungart, elle travaillait son jeu de jambes avec l'énergie du désespoir : tapant violemment dans le ballon pour le rattraper d'un coup de genou, avant de l'envoyer plus loin encore d'un pied rageur. Et ainsi de suite, d'un bout à l'autre du terrain.

Elle était si absorbée par l'exercice qu'elle ne l'entendit pas arriver. Il se gara sur le parking, puis, baissant sa vitre, il l'observa quelques instants. Elle avait roulé sa jupe sur ses hanches pour ne pas trébucher, révélant ses jambes fines, dorées par les rayons du soleil couchant. Une grâce inconsciente accompagnait ses moindres mouvements, et c'était en toute innocence qu'elle exposait son corps de déesse aux regards des passants. Trempé de sueur, son chemisier se plaquait sur le renflement sensuel de sa poitrine, sa jupe moulait ses longues cuisses déliées. La cascade de ses cheveux blonds formait un halo autour de son visage et Brad y aurait volontiers enfoui le visage…

Il laissa échapper un soupir de frustration. Dieu que cette femme lui plaisait ! Qu'il le veuille ou non, il n'avait pas tourné la page sur leur histoire. Les sentiments qu'il nourrissait à son égard, loin de se tarir après leur rupture, n'avaient fait que croître. Au point de l'envahir tout entier. Mais l'heure n'était pas la mieux choisie pour lui refaire la cour : quel accueil aurait-elle réservé à ses propos romantiques, alors qu'elle croulait sous les soucis et que son meilleur ami venait de mourir assassiné ?

Il n'avait d'autre choix que d'attendre. En l'aidant, bien sûr, à affronter les attaques de Rabern. Et le courroux qui s'emparerait de l'assassin de Phil, lorsqu'il comprendrait qu'elle s'était lancée sur ses traces.

Mais ce dont elle avait besoin maintenant, décida-t-il en souriant, c'était d'un entraîneur sportif. Il se débarrassa de ses souliers et de ses chaussettes, glissa le tout dans le coffre de la voiture, et verrouilla les portières.

Joanna lui tournait le dos lorsqu'il entra sur le terrain. Il s'avança en desserrant son nœud de cravate. Et n'était plus qu'à cinq mètres d'elle lorsqu'elle prit son élan pour marquer un but. Le ballon décrivit un grand arc de cercle… et retomba dans les gradins qui bordaient le stade. Les poings sur les hanches, elle secoua la tête avec dépit. Se croyant seule, elle déversa une bordée de noms d'oiseaux sur sa piètre performance.

— Un peu de finesse, Dish, lança-t-il en se baissant pour remonter le bas de son pantalon sur ses chevilles.

Elle sursauta, surprise.

— Dans mon jeu ou dans mon discours ? rétorqua-t-elle, avant d'éclater de rire à sa vue.

— Qu'y a-t-il de si drôle ?

— Ta chemise est toute froissée… Et ta cravate… On dirait que tu sors d'une meule de foin !

Il baissa les yeux : sa tenue n'était pas des plus correctes, en effet. Il avait déboutonné sa chemise, mais gardé sa cravate, qui n'en paraissait que plus incongrue contre son torse nu.

94

— Tu n'es pas mal non plus…, répliqua-t-il avec un regard éloquent sur ses vêtements trempés de sueur.

Elle s'empourpra. Et ce fut au tour de Brad d'éclater de rire.

— Reste là, intima-t-il. Je vais chercher le ballon.

Lorsqu'il la rejoignit, une poignée de secondes plus tard, elle avait remis un peu d'ordre dans sa tenue. Il lui lança le ballon, puis courut jusqu'aux buts pour faire office de gardien.

— Essaie de te représenter la trajectoire de la balle avant de tirer, cria-t-il. Marque avec ton tibia, pas seulement avec ton pied. Et tire moins fort, surtout.

Elle posa le ballon à terre, recula de quelques pas, puis tira en amortissant le choc avec son tibia de manière à infléchir l'arc de cercle. C'était quasiment parfait — mais Brad rattrapa la balle des deux mains, avant de la lui renvoyer.

— Pas mal. Continue.

Elle s'exécuta sans rechigner, améliorant sa technique à chaque tir, puis ils longèrent le terrain en se passant la balle, chacun s'efforçant de la garder le plus longtemps possible en dépit des tentatives de l'autre pour la lui reprendre. Finalement, exténuée, Joanna se laissa tomber dans l'herbe tandis qu'il prenait son élan pour marquer un dernier but. Qui atterrit exactement là où il l'avait prévu : en plein centre des filets.

— Frimeur, commenta-t-elle d'une voix essoufflée.

La nuit était presque tombée, à présent. Il distingua néanmoins le sourire gentiment ironique qui plissait ses lèvres.

— Qu'est-ce que tu fais là, Brad ? reprit-elle plus sérieusement.

— A part jouer au foot avec toi ?

— Oui. A part ça.

— Je te cherchais, répondit-il en s'asseyant à son côté. Je suis tombé sur Ron Mendelssohn avant de quitter l'hôpital. Il m'a raconté votre réunion de ce midi. Il comprend très bien que tu sois partie en claquant la porte.

Elle se redressa et se massa distraitement le pied droit.

— C'est déjà ça…, commenta-t-elle d'une voix lasse. Quand je pense qu'ils sont tous allés voir Vine avant l'opération pour qu'il choisisse Ron à ma place !

— Vraiment ? marmonna-t-il, choqué. Il s'est bien gardé de me le dire.

— Ça ne m'étonne pas. Il prétend que c'était pour me protéger de Rabern…

— Tu le crois ?

Elle poussa un profond soupir.

— Oui. Je le connais bien : cette affaire l'ennuie autant que moi. Et c'est le seul de mes confrères qui se soit toujours montré honnête. Rien ne l'obligeait à me révéler ce qui s'est tramé avant l'opération… A l'entendre, je suis tombée dans un piège. Tout était soigneusement organisé — y compris le fait que Vine me charge de l'anesthésie.

— Je ne comprends pas.

— Moi non plus, renchérit-elle. Vine savait qu'il allait mourir et il m'aurait choisie comme bouc émissaire ? Ça n'a aucun sens !

Brad sentit le découragement l'envahir. Cette histoire n'avait ni queue ni tête. Comme Joanna, il refusait de croire qu'Elliott avait organisé sa propre mort. Et, pire encore, décidé d'en faire porter la responsabilité à la plus jeune anesthésiste de l'hôpital.

— Tu t'es fait mal ? interrogea-t-il en désignant son pied, qu'elle massait en grimaçant.

— Oui. J'ai trébuché sur un bout de bois, tout à l'heure.

96

— Laisse-moi regarder, suggéra-t-il en tendant la main vers sa cheville. Tu as peut-être une écharde.

Il lui saisit le pied et le posa sur sa cuisse avec un détachement feint.

— Brad…, protesta-t-elle faiblement.

— Ce n'est rien. Laisse-moi faire.

Il s'était exprimé avec nonchalance, comme s'il n'éprouvait aucune émotion particulière à la toucher. Car elle aurait tôt fait de le repousser s'il chargeait la situation d'ambiguïté… Ce fut donc sur le même ton qu'il poursuivit :

—Sœur Marie Bernadette est passée me voir cet après-midi. Elle est absolument certaine d'avoir verrouillé la porte de la cuisine avant de partir, hier soir. D'après elle, il est impossible qu'un des habitués de la soupe populaire soit entré dans les locaux après son départ.

— Quelle heure était-il quand elle est partie ?

— 22 heures. Elle respecte le même rituel tous les soirs, apparemment. C'est une promesse qu'elle avait faite à la direction avant d'ouvrir la soupe populaire.

— L'assassin de Phil aurait donc délibérément laissé la porte ouverte pour donner l'impression qu'il est entré par la cuisine…

— Impression renforcée par le fait qu'il a pris soin de laisser des traces de boue sur le carrelage, compléta-t-il.

Les réverbères qui bordaient la rue, le long du stade, s'allumèrent brusquement, diffusant un halo blanchâtre sur la pelouse enténébrée. Joanna ferma les yeux. Les doigts de Brad glissaient sur sa peau avec douceur, l'invitant à la détente.

— Il y a quelque chose qui me dérange dans toute cette histoire, murmura-t-elle. En plus de tout le reste, bien sûr… J'y pensais tout à l'heure, en tapant dans la balle. Je crois avoir trouvé de quoi il s'agit : toutes ces accusations, ces insinuations contre moi m'ont l'air d'une vaste entreprise de diversion.

— Pour dissimuler quoi ? s'enquit-il, manifestement perplexe.

— Le véritable scandale. La raison pour laquelle Phil a été assassiné. Je suis persuadée qu'il était sur une piste... Sans cela, comment expliquer tout ce tapage ? Vine est mort en salle d'opération et Rabern craint pour sa réputation, certes, mais cela ne suffit pas à expliquer son attitude en conférence de presse. Il n'avait aucune raison valable de m'attaquer ainsi...

— Sauf s'il se sent coupable, acheva son compagnon, l'air sombre.

Elle se redressa, interloquée.

— Coupable de quoi ? Tu ne penses tout de même pas que...

—... Rabern a tué Phil ? Pourquoi pas ? marmonna-t-il avec un haussement d'épaules. Ce ne serait pas si étrange que ça... Surtout si nous partons du principe que Phil s'apprêtait à impliquer Rabern dans l'échec du triple pontage.

— Il aurait tué Phil pour étouffer la vérité ? Ce serait monstrueux, murmura-t-elle, effarée. De toute façon, personne ne nous croira !

— Personne, confirma-t-il avec lucidité. Et certainement pas l'inspecteur Dibell.

Cette dernière avait certes cherché à savoir si Phil tentait d'innocenter Joanna lorsqu'il avait été tué... mais elle n'avait pas poussé plus loin sa réflexion en ce sens. Confortée par les indices relevés sur le lieu du crime, elle demeurait convaincue que Phil avait été mortellement agressé par un sans-abri.

— Admets que c'est difficile à croire. Le meilleur chirurgien cardiaque du Midwest aurait assassiné un de ses collègues pour s'assurer que ses petits secrets ne remonteraient jamais à la surface ? Ça dépasse l'entendement !

Une vive inquiétude assombrit soudain les traits virils de Brad.

— Je sais. Mais tu l'as dit toi-même : pourquoi Rabern met-il tant d'énergie à t'accuser de la mort de Vine, alors que le rapport de Ruth Brungart vous innocente tous les deux ? Tu as parlé de diversion, tout à l'heure... Je crois que tu as raison : Rabern fait du bruit pour que le meurtre de Phil demeure inaperçu.

La jeune femme sentit son estomac se nouer.

— Ça ne se passera pas comme ça, protesta-t-elle d'une voix tremblante d'indignation. Je ne laisserai pas un innocent payer pour le meurtre de Phil. C'était mon ami. Je lui dois la vérité... Et j'ai du temps devant moi pour le faire : mes collègues m'ont promis de me remplacer la semaine prochaine.

A ces mots, son compagnon se leva d'un bond, comme si la discussion était terminée.

— Viens, Dish. Je meurs de faim.

Elle accepta la main qu'il lui tendait, et lui fit face dans l'obscurité.

— Tu me caches quelque chose, Brad. De quoi s'agit-il ?

Il demeura silencieux quelques instants — assez pour lui faire craindre une trahison de sa part. S'il lui demandait de renoncer à son enquête dans l'intérêt de l'hôpital, elle ne le supporterait pas.

Elle se trompait : c'était elle qu'il souhaitait protéger, pas la réputation du Rose Memorial.

— Promets-moi que tu ne prendras aucun risque inutile,

lâcha-t-il d'une voix empreinte de gravité. Tu feras attention, Dish, n'est-ce pas ?

— Promis, assura-t-elle en luttant contre la peur qui l'envahissait. Mais je ne suis pas sûre d'être de taille à lutter contre un assassin...

6.

« Rentre avec moi… »

Ces mots, Brad brûlait de les prononcer. Mais il savait que Joanna refuserait. Qu'elle n'accepterait même pas de réfléchir à sa proposition.

— Laisse-moi te raccompagner, suggéra-t-il. Nous nous arrêterons en route pour acheter à manger et nous irons dîner chez toi.

— Brad… Je peux rester seule, je t'assure.

— Ce n'est pas une bonne idée, insista-t-il. Pas après ce qui est arrivé à Phil.

Il commença à boutonner sa chemise.

— Fais-moi plaisir. Je t'en prie. Demain matin, je passerai te chercher et je te ramènerai ici pour que tu récupères ta voiture.

Il faisait trop sombre, à présent, pour qu'elle puisse discerner l'expression de son regard, mais la fermeté de sa voix ne laissait aucun doute : toute protestation serait inutile.

— D'accord, concéda-t-elle. Mais je veux me coucher tôt.

— Si on s'arrêtait au bar à tofu qui est au coin de ta rue ?

Il ouvrit la portière passager pour qu'elle puisse s'installer dans la voiture, puis il alla chercher ses chaussures et ses chaussettes dans le coffre.

— Comme tu veux, lança-t-elle. Mais c'est toi qui invites, et je prends de l'ormeau.

Brad afficha un large sourire.

— Tu penses me décourager avec des goûts de luxe ? ironisa-t-il. C'est mal me connaître, chère amie !

Il se gara au coin de sa rue, à mi-chemin entre chez elle et le petit restaurant. Comme il n'y avait plus d'ormeau, Joanna choisit un plat de nouilles. Brad opta pour des légumes et un poisson blanc que le vieux cuisinier se fit un plaisir de n'avoir qu'à griller.

Ils se rendirent à pied jusqu'à la maison de Joanna, plaisantant sur leur passion commune pour la gastronomie japonaise. Ils riaient encore lorsqu'ils franchirent le seuil de la petite cuisine...

Le spectacle qui les attendait les réduisit au silence.

La serre installée dans le renfoncement de la fenêtre qui surplombait l'évier avait été fracturée, et les pots de fines herbes fracassés en morceaux. Des tessons de faïence et des mottes de terre jonchaient le comptoir et le sol.

Le trou pratiqué dans la fenêtre était assez grand pour permettre à une personne de s'y faufiler, et la distance qui le séparait du plancher n'avait rien de dissuasif. Un intrus s'était donc glissé dans la maison par la seule fenêtre en rez-de-chaussée invisible depuis la rue.

Brad prit le carton de nourriture des mains de Joanna et le posa à côté du sien sur la table, l'air sombre.

— Reste ici, intima-t-il en se détournant. Ne bouge pas.

Il saisit le téléphone et composa le 911 pour signaler l'effraction. L'appareil coincé contre son oreille, il fit le tour des pièces du rez-de-chaussée, puis gravit l'escalier et inspecta l'étage pour le cas où, surpris par leur retour, l'intrus aurait été contraint de se cacher.

Incrédule, Joanna se tourna pour embrasser le salon du regard. Tout était en ordre. Rien, pas même le plus petit bibelot, n'avait été dérangé. Quelqu'un s'était introduit chez elle, mais, avant de voir la fenêtre fracturée, elle n'avait rien remarqué.

Moins d'une minute plus tard, Brad était de retour dans la cuisine et informait le policier au téléphone que la personne qui était entrée par effraction avait d'ores et déjà quitté les lieux.

Hébétée, Joanna fixait la serre brisée, les mottes de terreau et d'herbe répandues sur le comptoir et le linoléum de sa cuisine. En deux endroits, des empreintes de chaussures de sport étaient visibles dans la terre.

— J'imagine que je dois m'abstenir de toucher à quoi que ce soit, dit-elle en s'efforçant de dominer la colère qui l'envahissait. Est-ce que... tout est normal, à l'étage ?

— Oui. Il faut que tu vérifies tes bijoux et autres objets de valeur, mais à première vue il ne manque rien. La chaîne, le téléviseur, tout est là. Le placard et les tiroirs sont fermés...

— Alors, ce n'est pas un cambriolage ?

— Pas pour voler du matériel, en tout cas, reprit-il, l'air sombre. Mais celui qui est entré cherchait forcément quelque chose. As-tu remarqué quoi que ce soit dans le salon ?

— Non. Je... à vrai dire, je n'ai même rien *senti* d'étrange. Tu ne crois pas que j'aurais dû ?

Elle était presque plus perturbée de ne pas avoir perçu l'intrusion que par l'intrusion elle-même.

Elle repassa dans le séjour.

— Regarde : même le rapport d'autopsie de Ruth Brungart est à l'endroit où je l'ai laissé hier soir quand Phil m'a appelée.

Brad fronça les sourcils, scrutant du regard la moquette mauve pâle qui recouvrait le sol.

— J'ai l'impression que le type n'est pas sorti de la cuisine. Y a-t-il des médicaments dans les placards ?

— Seulement quelques analgésiques en vente libre, précisa-t-elle tandis qu'il ouvrait les portes pour vérifier. Ils sont avec les verres. Et je n'ai qu'une bouteille de cognac, celui que nous avons ouvert ensemble il y a des mois.

Ce même alcool qu'ils avaient réchauffé à la chaleur des bougies avant de faire l'amour.

Il trouva les tubes d'aspirine et d'ibuprofène intacts, ainsi que la bouteille de cognac à moitié vide, exactement là où Joanna l'avait remisée.

— Ce type cherchait forcément quelque chose…, répétat-il, l'air songeur. Et ce quelque chose devait se trouver dans la cuisine.

Il se penchait pour ouvrir les placards sous l'évier, quand la sonnette retentit. Joanna alla ouvrir. Par le judas, elle aperçut deux agents de police.

— Docteur Cavendish ?

— Oui, c'est moi.

Elle s'effaça pour les laisser entrer. Les deux hommes s'identifièrent : officiers James et Wozcinski. Aussi grand que Joanna, James arborait le regard déterminé d'un agent chevronné. Son collègue, plus grand encore, était nettement plus jeune. Brad se présenta comme un ami et précisa, avant même que la question lui soit posée, qu'il se trouvait avec le Dr Cavendish lorsqu'elle avait constaté l'effraction.

— On va examiner les lieux, madame, annonça James. Mais d'abord, vous allez bien ?

Elle fut tentée de répondre par la négative. Non, elle n'allait pas bien. Quelqu'un s'était introduit chez elle et avait violé son intimité. Mais puisqu'elle n'était pas blessée physiquement… alors, oui, elle « allait bien » — et telle fut sa réponse. Brad leur désigna la vitre brisée, les empreintes laissées dans le terreau, l'absence révélatrice de toute trace de pas à l'extérieur de la cuisine.

Pendant que les policiers passaient la maisonnette en revue — ouvrant le moindre tiroir, toutes les armoires, tous les placards, et constatant chaque fois que rien n'avait été dérangé —, Joanna surprit entre eux de légers haussements d'épaules et quelques regards entendus.

Oscillant entre colère et hébétude, elle dut admettre que sa petite maison n'avait pas été fracturée dans l'intention de voler des bijoux, du matériel électronique, de l'argenterie… ni même un couteau pour en faire une arme, ou quoi que ce soit d'autre qui puisse intéresser un receleur ou un vendeur à la sauvette.

— Je ne vois qu'une ou deux explications. Rien de sérieux, en tout cas, conclut l'officier James.

— Rien de sérieux ?

Joanna croisa les bras sur sa poitrine. Rien n'avait été volé. Pour les deux policiers, ce simple fait suffisait à minimiser la gravité de l'effraction. Pour elle, au contraire, ce même élément contribuait à accroître le sentiment qu'elle était en danger. A l'évidence, l'intrus n'était pas un voleur ordinaire. Elle aurait préféré que ce soit le cas. Au moins, si on lui avait volé de l'argent, aurait-elle pu comprendre… Mais cette intrusion n'avait aucun motif apparent.

— Une effraction est *toujours* sérieuse, protesta Brad, avec une virulence qui ne lui ressemblait pas.

— Sauf si rien n'a été volé, répliqua James d'un ton exagérément patient. Bien sûr, il est possible que le type

105

soit entré en pensant vous dévaliser… mais le fait est qu'il n'a même pas piqué un couteau de cuisine. Il s'est peut-être affolé en vous entendant rentrer. Ou alors il est entré avec l'idée de vous attendre tranquillement, mais il s'est tiré en comprenant, quand vous êtes arrivée, que vous n'étiez pas seule.

Il se tourna vers Brad.

— D'après moi, c'est un môme du voisinage qui est venu récupérer son ballon de base-ball. Rien de plus.

Les deux hommes s'en furent en balbutiant des excuses. Les dégâts étant minimes, et les employés du commissariat débordés, James doutait que son supérieur l'autoriserait à convoquer une équipe pour relever les empreintes ou réaliser un moule des traces de chaussures imprimées dans la terre.

Joanna ne s'en sentit pas rassurée pour autant — ni plus convaincue qu'un ballon de base-ball avait atterri dans sa cuisine. Il fallait qu'elle s'occupe l'esprit et les mains, tout de suite… sans quoi elle risquait de fondre en larmes. Elle referma la porte d'entrée et tourna les talons pour aller nettoyer le désordre que le visiteur avait laissé derrière lui.

Attirés par la lumière, les insectes affluaient par le trou béant. Brad l'aida à fixer un carton sur la brèche, puis à balayer les débris de verre et de faïence. Certaines plantes semblaient pouvoir survivre. Joanna sortit de vieux pots en plastique et un sac de terreau pour les rempoter.

Brad lui tendit le plant de persil.

— Tu ne peux pas rester ici, Dish. Tu t'en rends compte, n'est-ce pas ?

A coups de cuiller, elle tassait de manière répétitive le terreau autour de la petite plante.

— Si le type était dans la cuisine quand nous sommes arrivés, il n'aurait pas eu le temps de repasser par la fenêtre avant que nous n'entrions dans la pièce, déclara-t-elle.

— Exact.

Elle mit le persil de côté et entreprit de remplir un autre pot. Brad lui présenta une botte de ciboulette.

— Alors ? reprit-il.

— Alors personne ne m'attendait. Peut-être que les policiers avaient raison, peut-être que c'était juste…

Elle s'interrompit pour ajouter plusieurs cuillères de terre autour des fines racines de la plante.

— Peut-être que c'étaient juste des enfants qui jouaient au base-ball, acheva-t-elle.

— Peut-être, admit-il d'un ton sceptique. Mais, de toute façon, tu repars avec moi.

Elle se figea, interloquée. Que répondre à une telle proposition ? Les mots lui manquaient, tout à coup.

— Je ne peux pas, marmonna-t-elle simplement.

Les yeux noisette de Brad s'obscurcirent.

— Pourquoi ?

Une bouffée de chaleur la submergea. « Parce que ce n'est pas raisonnable », faillit-elle répondre. Parce qu'en allant chez lui, elle se sentirait plus vulnérable qu'en restant seule chez elle.

— Brad, n'insiste pas, tu veux ? Sinon…

— Sinon ?

Elle leva le menton.

— Sinon, je m'en vais.

Elle replanta délicatement une frêle pousse de romarin.

— Parce qu'autrement, tu resterais ici ?

Elle se mordit la lèvre.

— Probablement.

L'expression de Brad se durcit et, d'un seul coup, il explosa de colère.

— Regarde les choses en face, bon sang ! Tu ne *peux* pas rester ici.

— Alors j'irai chez Nana Bea.

— Pour la mettre en danger, elle aussi ? Excellente idée ! poursuivit-il sans chercher à dissimuler le sarcasme dans sa voix.

Elle baissa les yeux et jeta la cuiller, qui rebondit bruyamment sur la table recouverte d'essuie-tout. Etait-elle réellement en danger, comme il l'affirmait ? Certes, elle soupçonnait que l'effraction dont elle avait été victime n'était ni un cambriolage interrompu ni un accident de ballon… mais de là à imaginer qu'elle était la cible d'un individu beaucoup plus dangereux, il y avait un pas — qu'elle se força à franchir.

— Tu ne crois pas non plus à une simple effraction, n'est-ce pas ? s'enquit-elle d'une voix tremblante.

— Non. Nous ne pouvons pas nous permettre de le supposer. Parce qu'Elliott est mort. Et que Phil a été assassiné.

Il marqua une pause, lui lançant un regard acéré.

— Quelqu'un s'est introduit ici dans un but précis. Or, nous ignorons si ce but a été atteint ou si l'intrus va revenir te chercher, maintenant que la voie n'est plus barrée que par un simple bout de carton.

Réprimant un frisson, Joanna entreprit de balayer la terre éparse. Après quoi, elle s'empara d'un vieux torchon, qu'elle étala sur le plan de travail, avant d'y aligner les plantes rempotées. Ses gestes étaient mécaniques.

— Admettons que l'effraction soit liée au meurtre de Phil, dit-elle enfin. Cela signifierait que l'assassin me considère comme une menace…

Elle s'interrompit un instant.

108

— Sauf que ça n'a pas de sens ! A part toi et Beth, personne ne sait que je ne crois pas à la piste du sans-abri.

Brad se leva, ramassa les essuie-tout jonchés de terreau et les lança dans la poubelle.

— Phil t'a appelée. Ruth Brungart, Chip Vine, et probablement Rabern, le savent. Cela suffit à te mettre en danger, à mon avis.

Elle avait passé l'éponge sous l'eau et s'apprêtait à nettoyer la table. Il la lui prit des mains.

— Va chercher quelques affaires, Dish. Assez pour tenir deux ou trois jours. Je m'occupe de la table.

Cette fois, elle ne protesta pas. Sa résolution était prise : elle quitterait sa maison, tout ce qui lui était cher et familier, pour aller dormir chez Brad MacPherson.

Brad démarra sa Bronco, s'inséra dans le flot de la circulation et alluma le lecteur de CD. Il habitait en lisière du lac Michigan, à vingt minutes de là. Pendant toute la durée du trajet, Joanna resta agrippée à sa ceinture de sécurité.

Une partie d'elle-même se sentait lâche ; regrettait qu'une simple effraction ait réussi à l'effrayer au point de la pousser à la fuite. Ce n'était pourtant pas son genre... Pendant ses études, elle avait habité non loin de l'université, dans un quartier considéré comme dangereux. Si elle n'avait jamais pris de risques inconsidérés, elle ne s'était jamais laissé intimider par les histoires d'agression, de meurtre et de viol qui circulaient dans le voisinage.

Alors, pourquoi avait-elle pris peur ce soir ? Parce que le danger lui semblait bien réel ? Oui, admit-elle à contrecœur. Rester seule chez elle aurait représenté un risque inconsidéré. Mais rentrer avec Brad n'en était pas plus raisonnable pour autant. Elle n'avait pas remis les pieds chez lui depuis leur rupture. Et elle craignait de ne pouvoir s'y retrouver sans regret. Sans souhaiter que les circonstances soient différentes.

Elle se surprit à observer son profil du coin de l'œil, fascinée par la valse d'ombre et de lumière qui dansait sur son visage. Un léger duvet de barbe ombrait ses joues et son menton. Ses yeux se plissaient face aux phares éblouissants des véhicules arrivant en sens inverse. A la dernière inter-section avant Lake Shore Drive, plongé dans ses pensées, il s'arrêta à un feu rouge, passa la première, puis appuya du pouce et de l'annulaire sur ses yeux fermés.

Une vague d'émotion la submergea. Il semblait si fatigué ! Au cours des mois précédents, il avait vécu un véritable enfer, quand le scandale Hem-Synon s'était abattu sur le Rose Memorial. Juste avant l'opération de Vine, il pensait être tiré d'affaire... mais à peine était-ce terminé que, déjà, il se retrouvait dans les ennuis jusqu'au cou.

Il s'était mis en colère tout à l'heure, pour la seconde fois de la journée. Et, pour la seconde fois, elle y avait vu la preuve qu'il tenait à elle. Qu'il avait été plus sincère — plus *vrai*, sentimentalement parlant — au cours de ces dernières vingt-quatre heures que pendant les quelques semaines où ils étaient sortis ensemble. N'était-il pas plus sain de laisser éclater sa colère que de la dissimuler ? Joanna l'avait toujours pensé, elle qui avait profondément souffert de la duplicité d'un père capable de sourire en public pour mieux distiller sa rage en privé.

Elle laissa échapper un léger soupir. Elle tourna la tête vers la vitre et se heurta à l'image de Brad qui s'y reflétait. Elle s'en rendait compte à présent — peut-être parce que, sous le coup de l'épuisement, ses défenses étaient trop enta-mées pour la protéger : elle n'avait été que trop disposée à assimiler Brad MacPherson à son père, le vénérable juge Harold Elson Cavendish.

Même si elle s'efforçait de se convaincre que Brad aurait manifesté la même colère envers quiconque d'assez irresponsable pour faire fi de sa propre sécurité, elle ne pouvait s'empêcher de penser qu'il s'intéressait à elle. Que leur relation signifiait plus à ses yeux qu'une simple passade.

Inutile de se mentir : elle était et avait toujours été attirée par Brad. Il était doué, persuasif, éloquent — tout ce dont elle se méfiait d'instinct. Mais, ce matin, il avait réussi à sauver le Rose Memorial Hospital d'un naufrage médiatique quasi assuré. Et ce, sans faire le moindre compromis. Puis son baiser dans l'ascenseur — était-ce seulement ce matin ? — avait enflammé ses sens endormis.

Elle avait eu envie de lui rendre son baiser, et il le savait. Parce qu'elle l'avait fait.

Même endeuillée par la mort de Phil, elle ne pourrait s'empêcher, lorsqu'elle franchirait le seuil de l'appartement de Brad, de repenser à la nuit où ils avaient fait l'amour. La nuit où ils avaient enfin cédé à l'attirance qui les poussait l'un vers l'autre depuis des semaines.

Brad avait depuis bien longtemps tourné sur Lake Shore Drive, et ce fut avec un léger sursaut qu'elle s'aperçut qu'ils entraient dans le parking souterrain de son immeuble. Il se gara sur l'emplacement marqué à son nom, coupa le moteur et dégrafa sa ceinture. Pour des raisons de sécurité, le parking était inondé de lumière. Mais son visage restait caché dans l'ombre.

Il se tourna vers elle.

— De quoi as-tu peur, Dish ? murmura-t-il. Que j'essaie de te séduire ? Ou que je n'essaie pas ?

Elle le fusilla du regard puis baissa la tête, fixant ses mains.

111

— Les deux, je crois.

Il la regardait. Elle ne put s'empêcher de lever les yeux vers lui.

— Joanna, dit-il en lui prenant tendrement le menton. Je me perds si je profite de toi comme un moineau sans cervelle, et je me perds si je ne le fais pas, parce que c'est mon seul désir.

— D'être un moineau sans cervelle ? répliqua-t-elle, vaincue par son humour.

Le sourire de Brad s'épanouit.

— Parfaitement.

— Dans ce cas, j'en suis un aussi, admit-elle. Un moineau tout gêné.

Comme il ne répondait pas, elle prit une profonde inspiration pour se donner le courage d'affronter son regard.

— Alors... qu'allons-nous faire ?

Il se pencha vers elle. Sa main passa dans ses cheveux, descendit sur sa nuque, qu'il attira doucement vers lui. Il pencha la tête, ferma les yeux et l'embrassa — dans le cou, sur la joue, sur le front. Les sensations affluèrent en elle : tendresse et regrets mêlés. Attente, aussi.

— Nous allons patienter, Dish, promit-il. Jusqu'à ce que le moineau n'éprouve plus la moindre gêne.

Joanna dormit dans la chambre d'amis. Jusqu'au matin, les sensations suscitées par les baisers de Brad lui tinrent compagnie. Depuis l'enfance, ses nuits étaient peuplées de cauchemars si vivaces qu'ils la hantaient des heures entières. Pourtant, cette fois, alors qu'elle avait plus de raisons que de coutume de faire des rêves traumatisants, alors qu'elle aurait pu revivre l'horreur du meurtre de Phil ou entendre résonner à ses oreilles la trahison de Rabern, ce fut avec un sentiment de sécurité, voire de réconfort, qu'elle s'éveilla.

L'appartement était plongé dans un profond silence. Comme prévu, Brad était parti faire son jogging matinal le long des berges de Lake Shore Drive.

Joanna s'avança dans le salon. Au sol s'étendait une moquette vert pin épaisse et douillette sur laquelle l'ameublement — le canapé, les fauteuils-club, les rideaux — se déclinait en un délicat camaïeu de verts et de gris irisés. De jour, l'effet était apaisant. Rafraîchissant. Comme une clairière sous la pluie, au cœur d'une forêt anglaise. La nuit, l'éclairage subtilement tamisé conférait à cette clairière imaginaire une atmosphère quasi féerique.

Elle parcourut la vaste pièce, examinant les objets du bout des doigts. Les objets de Brad. Premières éditions de romans de Mark Twain et du mythique *Sur la route* de Kerouac ; un vieil appeau à canards tout vermoulu ; un autographe encadré d'Eleanor Roosevelt, un autre de Bruce Springsteen. Un calot d'agate trônant au sommet d'une pile de billes, soigneusement rangées dans la boîte où sa mère conservait les biscuits au beurre de cacahuète qu'elle confectionnait elle-même.

Immanquablement, le parfum du beurre de cacahuète ressuscita les souvenirs de sa première visite dans cet appartement...

Cela s'était passé au mois de mai. Elle avait rejoint Brad dans un café-concert du centre-ville pour écouter Colin Rennslaer, l'un des meilleurs chirurgiens du Rose Memorial, jouer du hautbois avec un ancien camarade d'internat, un trompettiste noir, brillant mais méconnu, de La Nouvelle-Orléans. Mais Colin avait annulé sa représentation pour opérer une fillette atteinte d'une malformation cardiaque.

113

Le duo avait donc été remplacé par une chanteuse de blues dont les chansons d'amour mélancoliques avaient donné à Joanna envie de pleurer sur la banalité de sa petite vie étriquée.

Pourquoi prenait-elle tant de précautions ? Ne pouvait-elle se laisser aller de temps à autre ? Avec Brad MacPherson, par exemple…Certes, elle n'avait pas confiance en lui. Elle savait qu'il n'était pas amoureux d'elle. Comment l'aurait-il pu, quand il ignorait jusqu'au sens du mot « sincérité » ? Mais il saurait mettre un peu de passion dans sa vie… et après toutes ces chansons torrides et déchirantes, c'était exactement ce dont elle avait envie.

Un peu de passion.

Alors, elle s'était laissé conduire jusqu'ici et, lorsqu'il lui avait proposé de confectionner des biscuits au beurre de cacahuète, elle avait accepté avec un sourire coquin. Il lui avait fait goûter la pâte sur le bout de ses doigts, puis il était venu cueillir les éclats de cacahuète sur ses lèvres…

Les larmes lui montèrent aux yeux. Cinq mois plus tard, sa vie était toujours aussi étriquée. Parce qu'après ce merveilleux week-end elle avait refusé de revoir Brad. Nana Bea n'était pas la seule à penser qu'elle avait eu tort : Beth aussi.

Le soleil fut bientôt assez haut pour pénétrer par la fenêtre de la salle à manger. Elle inspira profondément, resserrant l'épais peignoir de Brad autour de sa taille. Brad, qui voulait « jouer les moineaux » avec elle. Brad, qui promettait d'attendre qu'elle soit prête à le faire. Brad, qui lui demandait d'admettre que leur relation ne se limitait pas à une partie de jambes en l'air…

Pouvait-elle lui faire confiance ?

Il serait bientôt de retour. Sur le comptoir en marbre vert de la cuisine, il lui avait laissé un bol de céréales, sur lequel il avait collé un bref message. « Petit déjeuner de célibataire, avait-il inscrit d'une main énergique. Désolé. A tout à l'heure. »

Elle sortit le lait du réfrigérateur presque vide et le versa sur les flocons caramélisés. Lorsque Brad rentra, elle avait eu le temps de prendre sa douche, de s'habiller, de se sécher les cheveux, et même de mettre la touche finale à son brushing.

Seulement vêtu d'un short et de ses chaussures de sport, il paraissait à bout de souffle, comme s'il avait parcouru cinq kilomètres de plus qu'à l'accoutumée.

— Hé ! lança-t-il en apercevant son reflet dans le miroir de la salle de bains.

— Hé, toi-même !

La scène était délicieusement troublante. Un peu plus, et elle se serait crue en compagnie de son époux après cinq ans de mariage... Sauf que ce n'était pas le cas.

— Je te laisse la place dans une seconde, déclara-t-elle d'un ton faussement naturel. Il faut que j'appelle Beth pour prendre de ses nouvelles.

Il entra dans la pièce et s'épongea le torse.

— Tu ne préfères pas aller la voir directement ?

Encore cette impression de déjà-vu... Joanna sentit les larmes affluer à ses paupières. Prélude au déluge, pensa-t-elle. Du bout des doigts, elle se tapota le coin des yeux pour absorber l'humidité.

— Je le lui proposerai, mais je sais que ses parents sont arrivés.

Elle commença à rassembler ses affaires de toilette pour les ranger dans sa trousse.

— Laisse-les là. C'est... agréable.

Elle hésita.

— Ce fouillis ? plaisanta-t-elle en s'efforçant de garder un ton léger.

— Oui. Ça me fait plaisir de voir tes affaires ici.

Elle s'interdit de réfléchir à la portée de son propos. Au fait qu'il aimait partager sa salle de bains avec elle.

— Ce matin, peut-être, objecta-t-elle. Mais, crois-moi, tu t'en lasseras vite.

— On verra, répliqua-t-il en lui donnant un léger coup de serviette sur les cuisses. On verra bien.

Elle laissa donc ses affaires éparpillées sur le rebord du lavabo et gagna la cuisine, d'où elle appela Beth. Ce fut sa mère, Margie, qui répondit. Joanna, qui la connaissait bien, se présenta aussitôt.

— Merci d'appeler, ma chérie, répondit la vieille dame. Beth dort encore, et je ne veux pas la réveiller.

Coinçant le téléphone entre son menton et son épaule, Joanna remplit l'évier pour y laver la vaisselle du petit déjeuner.

— Comment va-t-elle ? interrogea-t-elle avec anxiété.

— Elle est effondrée. Elle tenait à peine debout hier soir… Nous avons rendez-vous au funérarium à dix heures. Je n'arrive toujours pas à le croire, tu sais. Qui aurait pu vouloir tuer Phil ? Prendre leur père à ses enfants ? Quel genre d'animal a fait une chose pareille ?

La voix de Margie ressemblait beaucoup à celle de Beth — même ainsi, altérée par le chagrin.

— J'aimerais le savoir, répondit Joanna en rinçant un bol.

Elle voulut promettre qu'elle le découvrirait, qu'elle n'aurait de cesse de démasquer l'assassin de Phil… mais elle se retint. A quoi bon faire une promesse si vaine, si dénuée de sens ? Peu importait l'identité du coupable : Phil n'en retrouverait pas la vie pour autant.

116

— Veux-tu que je dise quelque chose à Beth, quand elle se réveillera ? reprit Margie.

— Demande-lui juste de me faire signe, quand elle le souhaite, quelle que soit l'heure.

Son interlocutrice acquiesça, puis raccrocha. Presque aussitôt, le téléphone sonna. Joanna l'apporta à Brad, qui était en train d'essuyer l'excès de crème à raser sur son visage.

Il décrocha, écouta, puis accepta d'être mis en attente.

— C'est la réceptionniste de l'hôpital. Elle me passe un appel des urgences, expliqua-t-il.

Elle attendit dans l'embrasure de la porte de la chambre de Brad pendant qu'il enfilait une chemise blanche et la glissait dans son pantalon. Il venait de passer sa cravate autour de son cou quand son interlocuteur prit la ligne.

— Ici MacPherson, dit-il. Que se passe-t-il ?

En moins de temps qu'il ne lui en fallut pour nouer sa cravate, son expression passa de l'écoute attentive à la gravité, puis à la colère.

— Etait-il au volant ? Non ? Dieu soit loué ! Ecoute, Judy, tâche de le transférer en chambre individuelle dès que possible. Merci. J'arrive tout de suite.

Il raccrocha le téléphone et le jeta sur son lit défait.

— Que se passe-t-il ? demanda Joanna.

Il secoua la tête d'un air dégoûté.

— Chip Vine vient d'être amené aux urgences. Dans une camisole de force. Ivre ou complètement défoncé. Ou même les deux.

7.

Il y avait foule aux urgences du Rose Memorial Hospital. Sur les dix-sept lits que comptait la pièce, quinze étaient occupés. Manifestement débordé, le personnel tentait d'effectuer son travail au milieu de l'agitation générale, répondant du mieux possible aux réclamations des patients. L'un d'eux, nota Joanna en passant, n'était autre que Josh, l'aide-soignant que Chip Vine avait violemment agressé alors qu'il tentait de lui administrer un sédatif.

D'après Judy Spence, l'infirmière en chef des urgences, qui leur avait raconté la scène au téléphone, Chip s'était montré si violent qu'il avait fallu l'attacher à son lit. Désireux de ne pas ébruiter le scandale, Brad avait demandé à ce qu'il soit transféré en service de psychiatrie dès qu'une chambre individuelle serait disponible ; en attendant, Chip avait été placé le plus loin possible de l'entrée de la salle commune, et les rideaux avaient été tirés autour de son lit pour éviter aux autres patients le triste spectacle de son visage ravagé par l'abus d'alcool et de drogue.

Si les rideaux remplissaient leur office, dissimulant Chip aux yeux de tous, ils ne pouvaient rien, en revanche, contre ses hurlements.

Des hurlements si perçants que Brad et Joanna les entendirent avant même de franchir les portes vitrées qui

118

menaient aux urgences. Echangeant un regard soucieux, ils accélèrent le pas.

— Il m'avait juré que personne n'en saurait rien ! tonna la voix éraillée de Chip comme ils approchaient. Eh ! J'peux plus bouger, moi ! Venez me détacher, bande de salopards !

Ouvrant les rideaux, Brad invita Joanna à se glisser à l'intérieur du petit espace, et lui emboîta le pas.

Le spectacle était pire encore que Joanna ne l'avait craint. Arc-bouté contre les liens qui le maintenaient au matelas, les yeux exorbités, la bouche tordue en un rictus de fureur, Charles Vine était méconnaissable. Il tourna la tête vers eux lorsqu'ils entrèrent, et son expression se fit plus haineuse encore.

— Sortez d'ici ! hurla-t-il. Foutez-moi la paix !

— Du calme, Chip, intima Brad en s'approchant.

Joanna, elle, avait reculé d'un pas. Jamais personne ne l'avait regardée avec tant de haine. Bien que Chip fût solidement attaché à son lit, elle dut se faire violence pour ne pas tourner les talons.

Prenant une profonde inspiration, elle se força à l'observer d'un œil objectif — comme le médecin qu'elle était. Ses doigts recroquevillés contre les montants de son lit étaient couverts de sang séché, témoin de sa lutte avec le pauvre Josh. Il présentait tous les signes d'une absorption massive d'alcool, vraisemblablement combinée avec une prise de barbituriques ou de drogues : teint livide, yeux injectés de sang, pupilles dilatées, sueur excessive.

— Il est complètement shooté, murmura-t-elle à l'oreille de Brad.

Elle tendit la main vers le poignet de Chip pour prendre son pouls, mais il lui opposa une telle bordée d'injures qu'elle y renonça aussitôt. Son cœur s'accéléra et, de nouveau, elle fut tentée de s'enfuir. Mais Brad avait besoin d'elle. Et Chip pouvait leur fournir des renseignements précieux pour l'enquête sur la mort de Vine.

A condition qu'il parvienne à s'exprimer de manière cohérente, songea-t-elle tandis qu'il retombait dans un silence buté.

Désireuse d'échapper à son regard venimeux, elle se mit en quête du dossier d'admission — qu'elle trouva sur une tablette, laissé vierge par une Judy Spence manifestement débordée. Seules quelques notes griffonnées à la va-vite indiquaient qu'aucun médicament n'avait encore été prescrit au jeune homme.

Posant une main sur son torse trempé de sueur, Brad le maintint fermement contre le matelas.

— Attention, Chip. Si tu ne te calmes pas, je t'envoie en chambre d'isolement, c'est compris ?

— Menteur ! Tu peux rien contre moi. Ôte tes sales pattes de là, ou je...

— Ou quoi ? interrompit Brad sans bouger d'un pouce. Tu me traîneras en justice ? Regarde-toi : dans l'état où tu es, crois-tu que les juges retiendront ta parole contre la mienne ?

— J'te dis qu'ils m'écouteront si je...

— Ça m'étonnerait, mais rien ne t'empêche d'essayer, bien sûr. En attendant, je te laisse le choix : soit tu te calmes et tu me racontes ce que tu fais ici, soit je t'envoie cuver ton vin en chambre d'isolement.

Cette fois, ses propos produisirent l'effet escompté : Chip réfléchit un moment. Et sembla même oublier la présence de Joanna à leur côté.

— Tu peux pas faire ça, mec, répliqua-t-il finalement. Imagine que j'aie un malaise... Personne ne m'entendrait, pas vrai ?

Il paraissait réellement inquiet, à présent. Assez, en tout cas, pour souhaiter rester à proximité immédiate de l'équipe médicale.

— Au contraire. Tu es ici pour être soigné ; personne n'a l'intention de te faire du mal, assura Brad d'un ton radouci. Ecoute, si tu restes calme pendant dix minutes, je demanderai à l'infirmier de te détacher. Dix minutes, Chip. Tu crois que tu peux y arriver ?

Un éclair de lucidité traversa le regard du jeune homme, qui dévisagea son interlocuteur d'un air embarrassé. L'effet des drogues et de l'alcool commençait-il à diminuer ? Peut-être. Mais Joanna n'était pas dupe : la crise était loin d'être terminée.

Brad échangea un bref regard avec elle, avant de s'installer près du lit sur la seule chaise disponible. Devinant ses intentions, elle demeura en retrait, heureuse de le laisser mener un entretien qui s'annonçait plus que difficile.

— Qu'est-ce que tu fais ici, Chip ? s'enquit-il doucement, comme s'il s'adressait à un enfant égaré. Pourquoi t'es-tu mis dans un état pareil ?

— Mon père est mort, répondit-il d'une voix entrecoupée. Et ce fils de…

— Reste poli, s'il te plaît.

Un regard assassin accueillit son avertissement, et Joanna se raidit, prête à une autre explosion de violence. Qui ne se produisit pas.

— Il m'avait promis que personne n'en saurait rien, reprit Chip d'un ton amer. Que tout se passerait bien. Il m'a bien eu, ce salaud ! Maintenant, papa est mort et je n'ai que dalle… En plus, les gens se posent des questions. *Elle* se pose des questions !

Il s'interrompit pour désigner Joanna d'un doigt accusateur, avant de se perdre dans un flot de propos incohérents, de phrases inachevées, d'invectives vengeresses qu'elle attribua à un accès de paranoïa dû aux substances qu'il avait ingérées pendant la nuit. Veillant à demeurer hors de son champ de vision, elle s'interdit d'intervenir par peur de briser le lien fragile que Brad était parvenu à tisser avec lui.

— Qui t'avait promis que personne n'en saurait rien ? interrogea ce dernier tandis que le jeune homme reprenait son souffle.

C'était la question que Joanna brûlait de poser... mais Chip observa Brad d'un regard vide, comme s'il n'avait aucun souvenir de ce qu'il venait de dire.

Saisissant un bout de papier, Joanna y inscrivit le mot « Simplifie » en lettres capitales, et le tourna vers Brad, qui hocha discrètement la tête.

— Chip, mon vieux, qui t'a dit que tout se passerait bien ?

— Tu comprends rien, ou quoi ? Papa est mort ! Ça pouvait pas bien se passer ! Il m'a menti, tu piges ?

— Qui t'a menti ? insista Brad avec toute la sympathie dont il était capable.

— Tu sais bien...

Les mots moururent sur ses lèvres, que la rage étira en un rictus haineux. Pétrifiée d'angoisse, Joanna ferma les yeux. En vain. Le visage grimaçant du jeune homme demeura gravé dans son esprit.

— Tu veux me faire parler ! reprit-il d'un ton accusateur.

Brad lança un regard inquiet à Joanna, avant de répliquer calmement :

— Pas spécialement. Je veux comprendre comment tu es arrivé ici, c'est tout.

— Je t'interdis de la regarder ! éructa-t-il. C'est par elle que tout est arrivé. Cette sale petite...

122

— Chip..., gronda Brad.

— Fous le camp. J'ai plus rien à te dire. Mon père est mort. Autant s'arrêter là, non ? De toute façon, les dix minutes sont passées. Libère-moi.

Brad consulta sa montre.

— Ça fait à peine trois minutes.

— Menteur ! J'te dirai plus rien, répéta-t-il.

Il tourna son regard acéré avec Joanna, avant d'ajouter :

— A toi non plus. Si je n'étais pas attaché, je...

— Ça suffit, Chip, décréta Brad, perdant patience. Baisse le ton, tâche de te détendre, et je te promets que tu pourras sortir dès que tu te sentiras mieux.

— Comment veux-tu que je me sente mieux ? explosa le fils d'Elliott. Tu... Ne me laisse pas ici. Je veux voir ma femme. Où est Peggy ? Amenez-moi ma femme !

Passant la tête à travers le rideau, une infirmière proposa son aide à Joanna, qui la refusa d'un geste de la main. Bien que toujours très nerveux, Chip semblait disposé à se calmer.

— Je vais essayer de trouver Peggy, annonça Brad en se levant. Mais je te préviens : si je t'entends crier, j'ordonne ton transfert. C'est compris ?

Des larmes de rage perlèrent aux yeux du jeune homme, qui parvint pourtant à se contenir. Tournant ostensiblement la tête contre le mur, il sombra dans le silence. Brad invita Joanna à sortir, et la suivit aussitôt. Ils traversèrent la salle en sens inverse, persuadés que Chip ne tarderait pas à les accabler d'injures... mais ce dernier, impressionné par les menaces de Brad, semblait déterminé à ne plus prononcer un mot.

Il fallut plusieurs secondes et une bonne dizaine de mètres à la jeune femme pour surmonter la vive anxiété qui l'avait assaillie pendant l'entretien. L'hostilité que Chip lui avait témoignée, surtout, l'avait profondément heurtée.

— Ça va ? murmura Brad, en l'enlaçant par les épaules.

Non, songea-t-elle avec dépit, ça n'allait pas fort. Mais s'il la serrait encore un peu contre lui, l'effet désastreux de leur algarade avec Chip finirait peut-être par s'estomper…

Elle s'apprêtait à répondre, quand trois aides-soignants s'avancèrent à leur rencontre.

— Votre patient s'est endormi ? interrogea l'un d'eux. On n'entend plus rien !

— Aucune idée, Jake, répondit Brad d'un ton las. J'ai demandé que Chip soit transféré en psychiatrie dès que possible. L'un de vous pourrait-il s'assurer que le transfert se passe correctement ? Il a mis Josh K.O. tout à l'heure, et je préférerais éviter de nouveaux ennuis.

L'un des confrères de Jake écarquilla les yeux.

— Chip ? répéta-t-il d'un air stupéfait. Ce fou furieux est le fils d'Elliott Vine ?

Brad hocha la tête, avant d'ajouter sur le ton de la confidence :

— Gardez-le pour vous, naturellement.

— Naturellement, acquiesça l'autre.

Ses collègues promirent de veiller sur le jeune homme, et tous trois continuèrent leur chemin. Satisfait, Brad entraîna Joanna vers le bureau des infirmières… d'où Judy sortit en trombe, manquant de les renverser.

— Pardon ! s'excusa-t-elle. On m'appelle à l'entrée… J'ai prévenu le Dr Connell : il m'a promis d'examiner Chip d'ici un quart d'heure. Voulez-vous voir sa femme ?

— Sa femme ? Peggy a été admise, elle aussi ? s'enquit Joanna, interdite.

124

— Oui. Lit 12. Je vous préviens : elle est dans un sale état.

Et, sur ces propos sibyllins, elle s'éloigna rapidement.

— J'ai l'impression que nous ne sommes pas au bout de nos peines, commenta Brad d'un air navré. Dis-moi : qu'as-tu pensé de notre « discussion » avec Chip ?

— Franchement, je n'ai pas compris grand-chose. Je ne suis même pas certaine qu'il savait ce qu'il disait… mais il m'aurait volontiers étranglée sur place, c'est sûr !

Brad resserra son étreinte autour de ses épaules.

— Et moi, je l'aurais étranglé, avant qu'il fasse un pas vers toi, lui murmura-t-il au creux de l'oreille.

Elle se força à sourire.

— C'est très gentil de ta part.

— De rien. J'ai toujours eu l'âme d'un chevalier…, ajouta-t-il avec un clin d'œil, avant de reprendre plus sérieusement : il a répété plusieurs fois la même chose, tout de même. La mort de son père revenait en boucle…

— Et l'idée qu'il a été trahi par quelqu'un qui lui avait promis que tout se passerait bien, compléta-t-elle. Sans oublier mon rôle dans l'histoire : à l'entendre, je suis responsable de tous ses problèmes !

— Hmm. Tout ça est assez fumeux… mais je serais curieux de savoir *qui* lui avait promis que personne ne saurait rien. Et qu'avaient-ils à cacher, tous les deux ? Les véritables raisons de la mort d'Elliott ?

Elle réfléchit un moment avant de répondre :

— Pourquoi pas ? Quel autre événement récent aurait pu le plonger dans une telle colère ? Et rappelle-toi : il t'a accusé de chercher à le faire parler. Ce qui signifie qu'il a affectivement quelque chose à cacher — sans cela, tes questions n'auraient pas éveillé ses soupçons. Crois-tu que Peggy pourra nous éclairer ?

— Nous allons le savoir.

Le lit numéro 12, entouré de rideaux comme celui de Chip, se trouvait près d'une fenêtre, à l'extrémité ouest de la salle commune. Un brillant soleil se répandait sur les draps lorsqu'ils poussèrent le lourd tissu bleu pour se glisser à l'intérieur. Vêtue d'un jean, d'un pull noir et de sandales maculées de poussière, Peggy n'avait pas quitté le fauteuil roulant sur lequel on l'avait amenée. Tête baissée, elle se rongeait les ongles avec une nervosité évidente.

— Peggy ? Pouvons-nous te parler ?

Détournant les yeux, elle se passa furtivement la main dans les cheveux — non pour les repousser, mais pour les ramener vers son visage, nota Joanna avec étonnement.

— Peggy ? répéta-t-elle en s'approchant. C'est Joanna.

A ces mots, un long frisson parcourut les frêles épaules de la jeune femme.

— Je n'ai pas envie de parler. Je veux ramener Chip à la maison, c'est tout.

— Chip n'est pas en état de rentrer, annonça Brad en s'approchant. Je...

Il s'interrompit et se pencha vers Peggy pour l'observer de plus près.

— Mais...

Doucement, il écarta le rideau de cheveux châtains qui dissimulait son visage.

— Bon sang ! jura-t-il, horrifié. C'est Chip qui t'a fait ça ?

— Ce n'est pas sa faute. Il allait vraiment mal, hier soir, marmonna-t-elle en se recroquevillant sur elle-même comme un oiseau blessé.

Muette d'indignation, Joanna se laissa tomber sur le lit sans quitter la jeune femme des yeux. Couverte de bleus, sa joue gauche n'était plus qu'un amas de chairs violacées.

126

Une longue entaille encore à vif lui barrait la tempe, et des traces de sang séché se devinaient jusqu'à la naissance de ses cheveux, près de l'oreille.

L'estomac de Joanna se noua douloureusement. Elle avait vu bien pire, durant ses études de médecine et son internat, mais jamais le spectacle de la souffrance humaine ne l'avait autant affectée qu'aujourd'hui. Les blessures d'une femme battue... qu'y avait-il de plus révoltant ? s'interrogea-t-elle en luttant contre la nausée qui l'envahissait.

Chip avait battu sa femme. Il s'était acharné sur elle, l'avait frappée à dix, vingt reprises ? Elle prit une profonde inspiration pour se calmer. Combien de fois avait-elle trouvé sa propre mère dans le même état que Peggy ?

Une rage froide la saisit — si manifeste que Brad, croisant son regard, crut bon d'intervenir.

— Tu n'as pas l'air bien, Jo. Va prendre l'air, suggéra-t-il. Je reste avec Peggy.

Elle lui décocha un regard noir. Pour qui la prenait-il ? Elle n'était pas de ces femmelettes qui tournent de l'œil à la moindre goutte de sang !

— Je suis médecin. Je n'ai pas besoin de prendre l'air, assura-t-elle d'une voix vibrante de colère contenue.

Ecartant le rideau d'une main impatiente, elle s'avança dans l'allée.

— Qui est responsable, ici ? lança-t-elle à la cantonade.

Le Dr Ted Bayless, qui remplissait des fiches d'admission derrière un petit bureau, leva la tête d'un air surpris.

— Moi. Pourquoi, Joanna ? ajouta-t-il en plissant les yeux.

— Bonjour, Ted. J'aimerais m'occuper de Peggy. Cela pose-t-il un problème ?

En tant qu'anesthésiste, elle n'était pas censée prendre en charge les patients des urgences. Mais les infirmières semblaient si débordées que la femme de Chip risquait d'attendre des heures avant d'être soignée.

— Bien sûr que non, assura Ted avec un sourire reconnaissant. C'est très gentil de ta part.

— De rien. Peux-tu demander de la glace ?

Son collègue acquiesça, et Joanna se lava soigneusement les mains dans le petit lavabo réservé au personnel médical. Puis, les bras chargés de compresses et d'antiseptique, elle regagna le chevet de Peggy, toujours recroquevillée sur elle-même. Un instant, Joanna craignit qu'elle ne refuse les soins, mais elle se laissa faire sans protester.

Un aide-soignant leur apporta un pain de glace, et le remit à Brad, tandis qu'elle imbibait plusieurs compresses stériles de solution antiseptique.

— Peggy... Ecoute-moi, intima-t-elle en commençant de désinfecter la plaie qui fendait sa joue. Chip vient de perdre son père, c'est vrai. Mais il n'avait aucun droit de te frapper comme il l'a fait.

— Tu ne peux pas savoir...

— Je sais qu'il t'a battue, insista-t-elle. Et peu importe qu'il...

— Il avait des excuses ! Mon salaud de beau-père venait de le déshériter, tu comprends ? Il l'a rayé de son testament pour tout donner à des associations. Mais ce fric, on y a droit, Chip et moi !

Elle avait surtout le droit d'être traitée comme un être humain, et pas comme un punching-ball, songea Joanna en jetant les compresses maculées de sang à la poubelle. Et si Chip réduisait sa consommation de cocaïne et cessait de fréquenter les boutiques de luxe du centre-ville, il serait peut-être moins désespéré à l'idée de perdre son héritage.

L'hystérie qui teintait la voix de son épouse ne trompait pas : le couple était sans doute endetté jusqu'au cou.

Brad étreignit doucement le bras de cette dernière.

— Peggy... Ce n'est pas la première fois qu'il porte la main sur toi, n'est-ce pas ?

Joanna haussa les épaules.

— Ça m'étonnerait que Chip ait attendu si longtemps pour s'adonner à ce genre de sport, grommela-t-elle.

Elle n'avait pu retenir son sarcasme, qui lui valut un regard outré de la part de Peggy.

— C'est la deuxième fois. Et il avait ses raisons... Maintenant, ça suffit. J'en ai assez de vos questions. Je veux ramener Chip à la maison, c'est tout.

— Chip n'est pas en état de quitter l'hôpital, objecta Brad. Le mieux serait qu'il passe la nuit ici...

— Pas question, interrompit Peggy. Vous n'avez pas le droit de le garder, de toute façon.

Joanna retint un soupir. La jeune femme, qui travaillait également au Rose Memorial, connaissait pertinemment la législation en vigueur : aucun médecin ne pouvait retenir un patient contre son gré, sauf si ce dernier faisait l'objet d'une enquête judiciaire. Ils ne pourraient donc empêcher Peggy de rentrer chez elle avec Chip — à moins qu'elle ne porte plainte contre son mari. Ce qui semblait peu probable, vu son empressement à le défendre.

Elle entendit Brad argumenter, tenter lentement mais sûrement de ramener Peggy à la raison... mais elle n'écouta que d'une oreille. Cette discussion lui était si douloureusement familière ! Combien d'infirmières avaient autrefois tenté de convaincre sa mère de rester quelques heures de plus à l'hôpital pour se reposer ? Jamais elles n'étaient parvenues à la convaincre. Comme Brad aujourd'hui, elles dispensaient leur compassion à une femme qui la percevait comme une humiliation supplémentaire.

Peggy n'avait qu'une envie, Joanna le savait bien : rentrer chez elle pour échapper aux regards d'autrui. Cacher ses blessures. Et prétendre, une fois de plus, que tout allait bien.

— Je suis vraiment désolé de ce qui vous arrive à tous les deux, poursuivit Brad en maintenant une compresse sur la plaie que Joanna venait de nettoyer. Crois-tu que nous puissions aider Chip à s'en sortir ? Il était vraiment incohérent, tout à l'heure. Mais j'ai eu l'impression qu'il savait...

— Ce n'est pas le moment de lui poser des questions pareilles, coupa sèchement Joanna, choquée par son insistance.

— Je ne lui pose pas de questions. Je lui offre mon aide, c'est différent.

Il s'était exprimé avec courtoisie, mais elle n'avait pas manqué la lueur d'agacement qui avait brillé dans ses prunelles.

Elle décida de passer outre.

— Elle n'a pas besoin d'aide, protesta-t-elle. Elle veut...

— ... que ça s'arrête, acheva-t-il d'un ton ferme. N'est-ce pas, Peggy ?

L'intéressée ferma les yeux avec une lassitude évidente.

— Oui, lâcha-t-elle dans un souffle. Je veux rentrer chez moi et oublier tout ça.

Brad hocha la tête avec sympathie, avant de reprendre :

130

— Ce sera plus facile si tu m'aides à comprendre ce qui s'est passé. Chip m'a donné l'impression qu'il savait que son père allait mourir. Penses-tu que ce soit possible ?

Carrant les épaules, la jeune femme regarda droit devant elle.

— Bien sûr que non… Chip ne savait pas… Qu'a-t-il dit, au juste ? se reprit-elle brusquement.

— Il répétait que son père était mort. Et que quelqu'un lui avait promis que personne ne saurait rien.

— Et tu l'as cru ? Il est complètement défoncé. Il n'a pas la moindre idée de ce qu'il dit !

— Attention… Ne bouge plus, ordonna Joanna avant d'appliquer un coton imbibé de solution antiseptique sur l'entaille qui lui barrait la joue.

Peggy se mordit la lèvre pour retenir un cri de douleur.

— Elliott traitait Chip comme un chien, tout le monde le savait…, lâcha-t-elle entre ses dents. Il lui en voulait de ne pas être médecin. Et alors ? C'est un crime de rater ses examens, peut-être ?

Elle marqua une courte pause tandis que Joanna positionnait un sparadrap sur la plaie.

— Je ne pouvais plus le supporter, lui et ses grands airs ! Et avare, avec ça… Quand je pense à tout ce que Chip a fait pour essayer de gagner son estime ! Ah, il l'a fait ramper, je vous le dis ! Et tout ça pour quoi ? Rien. Pas un centime ! Chip était si furieux quand il a découvert le testament qu'il a enfoncé la porte à coups de poings… puis il est parti s'acheter sa dose. Toute cette souffrance à cause de ce vieux grigou… Franchement, si j'avais été certaine de m'en tirer, je l'aurais tué avant qu'il nous déshérite !

Stupéfaite, Joanna retint son souffle. Brad lui lança un regard éloquent, avant de reporter son attention sur Peggy.

— Quelqu'un a eu la même idée que toi, n'est-ce pas ? observa-t-il. Mais, lorsqu'il s'est décidé à agir, il était déjà trop tard pour l'héritage…

La jeune femme plissa les yeux, l'air méfiant.

— Je ne vois pas de quoi tu parles.

— Bien sûr que si. Et tu n'es pas la seule : Chip est au courant, lui aussi. Mais toute cette histoire lui a fichu les jetons. Alors il a forcé sur la dose, hier soir, pour tâcher d'oublier…

Joanna n'en croyait pas ses oreilles. Passe encore que Brad pousse Ruth Brungart dans ses retranchements : elle était assez maligne pour se défendre. Mais comment osait-il tourmenter ainsi la pauvre Peggy, alors que cette dernière commençait tout juste à reprendre ses esprits ? Où aurait-elle trouvé l'énergie de répondre à ses insinuations ?

Elle jeta le flacon d'antiseptique dans la poubelle et lui reprit rageusement le bloc de glace des mains.

— Peux-tu aller dormir chez une amie ou un parent, Peggy ? demanda-t-elle, coupant court à l'interrogatoire de Brad.

— Je t'ai dit que je voulais rentrer chez moi avec Chip, répondit la jeune femme d'un air buté. Et je n'ai pas changé d'avis.

Elle accepta le pain de glace, et l'appliqua sur sa joue tuméfiée sans leur accorder un regard. Dépitée, Joanna s'apprêtait à insister, lorsque Judy Spence entrouvrit le rideau.

— Le taxi est arrivé, annonça-t-elle.

— Quel taxi ? interrogea Brad en haussant les sourcils.

132

— Celui qui vient chercher les Vine. Le chauffeur attend devant la porte.

Peggy saisit son sac et se leva précipitamment.

— Où est Chip ? demanda-t-elle, l'air hagard. Allez chercher Chip !

— Qu'est-ce que c'est que cette histoire ? grommela Brad, visiblement mécontent. Qui a appelé ce taxi ?

— Moi, intervint Lucy Chavez en s'approchant.

Il baissa les yeux vers la directrice des relations internes. Ses formes généreuses et son ambition sans limites compensaient amplement sa petite taille — elle lui arrivait tout juste aux épaules. Volontiers séductrice, elle savait jouer de ses charmes pour endormir la méfiance de ses adversaires... ou de quiconque osait se dresser sur son chemin, songea Joanna en se remémorant les propos mystérieux de Ruth Brungart à son encontre.

— Peggy peut rentrer chez elle, mais Chip doit rester, argua Brad. Il n'est pas en état de sortir, je t'assure !

Lucy haussa les épaules avec un dédain manifeste.

— Désolée. Je ne fais que suivre les ordres de la direction.

— Vraiment ? Qui t'a demandé d'appeler ce taxi ?

Un sourire condescendant plissa les lèvres joliment ourlées de la jeune femme.

— Le Dr Rabern, qui trouve que nous n'avons pas témoigné au fils d'Elliott et à son épouse le respect dû à une famille en deuil. Jacob Delvecchio a aussitôt approuvé sa décision, naturellement.

Brad ouvrit la bouche pour protester, mais elle l'arrêta d'un geste de la main.

— Inutile de discuter, Brad : Chip est *déjà* dans le taxi.

— Ce n'est pas dans l'intérêt de l'hôpital. Il est totalement incontrôlable.

— L'intérêt des patients l'emporte parfois sur celui de l'hôpital, répliqua-t-elle avec une ironie mordante.

— En tout cas, ce n'est pas dans l'intérêt de Peggy Vine, intervint Joanna, n'y tenant plus.

— Je ne suis pas d'accord. Et puisque messieurs Delvecchio et Rabern ne le sont pas non plus, je crois que l'affaire est close, répliqua Lucy d'un ton impérial. Les Vine viennent de passer quelques jours difficiles ; ils ont besoin d'être seuls, c'est tout. Maintenant, si vous voulez bien m'excuser...

Brad acquiesça d'un air courtois qui ne laissait rien transparaître de sa colère. Seule Joanna, qui le connaissait bien, devina son irritation à la moue qui plissait ses lèvres.

— Entendu, dit-il. Pourras-tu passer me voir à mon bureau dans trois quarts d'heure ?

— Bien sûr. Dès que les Vine seront partis, ajouta Lucy avec un sourire en coin.

Mortifiée, Joanna se tourna vers Brad.

— Tu ne peux pas laisser faire une chose pareille ! C'est totalement irresponsable !

— Arrête, murmura Peggy d'une voix tremblante en se penchant vers elle. Je sais que tu veux m'aider, mais c'est inutile. Ce qui est fait est fait. On ne peut plus revenir en arrière. N'essaie pas d'intervenir, Joanna, je t'en prie... ou ce sera pire encore.

8.

Joanna regarda Peggy franchir les portes vitrées qui menaient vers la sortie des urgences, puis, tournant les talons, elle s'éloigna à grands pas. Sans un mot pour Brad.

Il la rattrapa dans le vaste hall qui servait autrefois d'entrée à l'hôpital, avant les travaux d'embellissement et de rénovation dont il avait fait l'objet une dizaine d'années plus tôt. Ici, les parquets cirés, le plafond voûté, les appliques en bronze témoignaient du riche passé de l'établissement, fondé au début du siècle dernier par un philanthrope local.

— Joanna… Attends !

Il lui attrapa le bras pour la retenir.

— Lâche-moi, protesta-t-elle en tentant d'échapper à son emprise.

— Pas question.

Il l'entraîna vers une petite alcôve aménagée dans la partie est du hall, sous les magnifiques vitraux verts et bleus qui ajoutaient encore au caractère solennel des lieux. Deux bancs de bois sombre se faisaient face, invitant à la conversation.

Mais Joanna ne semblait pas d'humeur à bavarder. Lèvres serrées, muscles tendus à se rompre, elle offrait l'image même de la colère. Il retint un soupir de dépit. Qu'avait-il donc fait pour déclencher une telle émotion ?

135

Un instant, il hésita entre la prendre dans ses bras ou la secouer violemment pour la ramener à la réalité. Finalement, il opta pour une troisième solution — celle qui lui ressemblait le plus : le dialogue.

— Joanna, j'aimerais comprendre… Explique-moi ce qui t'a mise dans cet état.

Elle ferma les yeux, semblant s'exhorter au calme, et se laissa tomber sur le banc avec un profond soupir.

— Chip est extrêmement violent, Brad, et il risque de l'être plus encore quand il aura retrouvé ses esprits. Peggy n'aurait jamais dû rentrer avec lui. Je n'arrive pas à croire que tu as laissé Lucy Chavez l'emmener, c'est tout.

Il s'assit à son tour, tentant de faire le tri dans ses pensées. Lorsqu'ils s'étaient rendus auprès de Peggy, tout à l'heure, Joanna avait affreusement blêmi à la vue de ses blessures ; plus rien n'avait compté, alors, que le bien-être de sa patiente. Chaque fois qu'il avait tenté d'interroger la femme de Chip sur les circonstances qui avaient présidé au déchaînement de violence de son mari, Joanna s'y était opposée d'un air outré.

Autrement dit, ses émotions avaient pris le dessus sur la protection de ses intérêts. Il l'avait déjà vue réagir de la sorte, face à l'inspecteur Dibell, quand elle avait volé au secours de la réputation de Phil au lieu de balayer les soupçons que son interlocutrice faisait peser sur ses propres compétences professionnelles. Cette fois, cependant, sa réaction semblait motivée par un sentiment plus complexe. Plus intime.

Il se remémora la scène une fois de plus. L'éclair de rage qui avait brillé dans les yeux de Joanna quand elle s'était penchée sur le visage tuméfié de Peggy… Il n'y avait qu'une seule explication possible, comprit-il brusquement :

136

elle avait été témoin — peut-être même victime ? — de violences conjugales par le passé.

— Cela t'est déjà arrivé, n'est-ce pas ? observa-t-il d'une voix douce, priant pour ne pas la heurter.

— Non.

Les yeux baissés, elle entoura ses genoux de ses bras, avant d'ajouter, comme pour elle-même :

— Mon père n'a jamais levé la main sur moi. C'est ma mère qu'il frappait.

— Je suis désolé, murmura-t-il, faute de mieux.

Que dire, comment réagir face à une souffrance dont il ignorait tout ? Joanna n'aurait eu que faire de sa pitié, il le savait. Aussi préféra-t-il garder le silence, attendant qu'elle reprenne la parole.

— Chip n'était pas en état de rentrer chez lui, réaffirma-t-elle au bout de quelques instants. Rien ne garantit qu'il ne s'attaquera pas à Peggy dès qu'ils seront seuls.

— Je sais, acquiesça-t-il à regret. Il aurait dû rester ici. Mais Peggy l'aurait emmené de toute façon. Elle connaît les règles aussi bien que nous, Jo : nous ne pouvions pas les retenir indéfiniment.

— C'est vrai... Ma mère aurait fait pareil, à l'époque. Elle n'avait qu'une envie : ramener son mari à la maison...

Il hocha la tête avec gravité, et laissa de nouveau passer un silence. Un groupe d'étudiants en médecine traversa bruyamment le hall, bientôt suivi d'un couple de personnes âgées, qui cheminaient à petits pas, agrippés l'un à l'autre. Combien de drames personnels, combien de tragédies et de triomphes cet endroit abritait-il chaque jour ? Des vies étaient changées à jamais, certains mouraient, d'autres naissaient, dans un ballet incessant, toujours renouvelé, d'événements isolés, que la répétition rendait quasiment banals.

La mort d'Elliott Vine, elle aussi, aurait pu être emportée dans le flot des drames quotidiens, mais quelqu'un en avait décidé autrement. Et Joanna en payait le prix.

Tournant la tête, il croisa son regard — empli d'émotions, de récriminations qu'il n'avait qu'à moitié comprises. Or, il avait besoin de savoir précisément ce qui avait déclenché sa colère. La violence de Chip n'expliquait pas tout, il en était convaincu.

— Tu étais fâchée contre moi avant l'arrivée de Lucy Chavez, n'est-ce pas ?

Le regard de la jeune femme se fit plus dur encore.

— Peggy vient de passer une nuit atroce. Elle n'est pas responsable des erreurs de Chip. Tu n'avais pas à l'interroger comme tu l'as fait.

— Comment cela ? interrogea-t-il, sincèrement perplexe.

— Tu l'as tyrannisée, Brad. Elle n'avait pas la force de te répondre !

Il se raidit, bouleversé. *Tyrannisée* ? Joanna le voyait donc comme un tyran, un homme capable de malmener verbalement une femme aussi sûrement que son mari l'avait malmenée physiquement ? La gorge nouée, il s'efforça de demeurer objectif. De garder à l'esprit les raisons qui avaient poussé Joanna à établir un tel rapprochement entre Chip et lui : le souvenir des violences faites à sa mère l'avait nécessairement influencée tout à l'heure, face à Peggy.

Au point de le considérer, *lui*, comme un agresseur ?

— Je n'ai pas cherché à abuser de ses faiblesses, se défendit-il. Et je ne crois pas avoir profité de sa souffrance pour l'humilier davantage. Simplement, j'étais persuadé, et je le suis encore, qu'elle nous cache sciemment une partie de la vérité. Elle voulait à tout prix ramener Chip chez eux avant qu'il n'en dise trop. Rappelle-toi… Elle t'a même mise en garde avant de partir : elle t'a supplié de ne plus intervenir « ou ce sera pire encore ». Ce sont ses propres mots, Dish !

Sa compagne laissa échapper un halètement de stupeur.

— Je croyais… Je croyais qu'elle parlait d'elle et de Chip, quand elle a dit ça. Mais… Penses-tu qu'il s'agissait d'un avertissement ?

Il hocha la tête.

— C'est ce que j'ai pensé sur le moment. Et je ne crois pas me tromper, malheureusement.

— Ça n'a aucun sens ! Chip n'est pas médecin. Il n'était pas en salle d'opération… Comment peut-il en savoir plus que nous sur la mort de son père ?

— Il a passé la nuit à rôder près des laboratoires d'anatomopathologie. Peut-être a-t-il discuté avec Phil, ou bien Ruth lui a-t-elle confié que Phil cherchait à en savoir plus sur les causes de la mort de son père ? Ou alors il s'inquiète du contenu de ta conversation téléphonique avec Phil…

— Ça ne suffit pas à expliquer ses propos, répliqua-t-elle en exhalant un profond soupir. Il n'arrêtait pas de dire que tout aurait dû bien se passer… Phil n'a pas pu lui promettre une chose pareille !

— Non. Mais Chip ignorait que son père voulait le déshériter…

— Je n'y crois pas, trancha-t-elle. Peggy cherchait à nous attendrir avec cette histoire de testament, c'est tout.

Elle marqua une pause, l'air surpris, comme si elle venait seulement de mesurer le sens de ses paroles. Sa surprise était justifiée : car en dépit de la rage qu'elle éprouvait contre Chip pour avoir battu sa femme, et de la rancœur qu'elle nourrissait envers Brad qui l'avait interrogée sans ménagement… elle venait d'admettre que Peggy leur cachait quelque chose.

Brad respira plus librement. L'écran d'émotions qui avait poussé Joanna à l'accuser de tyrannie s'était enfin dissipé.

Et Joanna se rendit compte de l'outrance de sa réaction. C'était Chip qui avait frappé Peggy. Pas lui.

— Pardonne-moi, murmura-t-elle. Je… Je réagis trop instinctivement, parfois. Je trouve toujours une bonne raison de t'en vouloir, alors que tu n'as rien fait. C'est idiot, non ?

Un sourire timide aux lèvres, elle cherchait son assentiment — son pardon, peut-être. Mais il ne trouva pas les mots pour la rassurer. Car ses excuses, loin d'apaiser son malaise, l'avaient ravivé.

S'imaginait-elle qu'il serait heureux d'apprendre qu'elle doutait de lui en permanence, qu'elle n'accordait aucune confiance à ce qu'il disait… pire encore, à l'homme qu'il était ?

Il admirait sa force de caractère, sa détermination, sa loyauté envers ses amis. Lorsqu'ils s'étaient rencontrés au printemps dernier, elle avait obstinément résisté à son charme, à ses compliments, à ses regards appréciateurs — toute cette panoplie de séducteur qu'il déployait sans effort et auxquelles les femmes succombaient toujours un peu vite. Il avait alors compris pourquoi il s'ennuyait invariablement au bras de ses conquêtes. Joanna, par comparaison, lui semblait infiniment troublante, intelligente, attirante. Parce qu'elle lui résistait, justement ? Sans doute : elle était si prudente ! Mais il y avait plus que cela. Il l'aimait car elle le poussait à être un autre lui-même : moins superficiel, plus sincère.

Tout cela, il l'avait compris depuis longtemps. Mais elle avait rompu avant qu'il puisse l'en convaincre. La prudence, toujours... Lui laisserait-elle une seconde chance ?

Il leva les yeux vers elle, chercha son regard. Si seulement elle acceptait de lui faire confiance ! D'oublier un instant la cruauté des hommes...

Ses yeux brillants d'anxiété lui offrirent la réponse qu'il attendait. Elle craignait de l'avoir blessé, d'avoir brisé peut-être le lien fragile qu'ils venaient de renouer. Comment lui refuser son pardon, dans ces conditions ?

— Excuses acceptées, Dish, déclara-t-il d'un ton solennel.

Elle lui décocha un sourire ravi. Et Brad sentit l'espoir renaître subrepticement dans son cœur.

— Merci.

— De rien.

Elle hésita, cherchant manifestement le meilleur moyen de reprendre le fil de la conversation. Son embarras était si touchant qu'il faillit la prendre dans ses bras et effacer sa gêne avec une pluie de baisers.

— Et si nous étions allés trop loin ? remarqua-t-elle enfin. Il n'y a peut-être aucune raison de soupçonner Chip et Peggy, après tout !

Là encore, il aurait voulu la rassurer. Faire disparaître l'inquiétude qu'il lisait dans son regard, en lui fournissant une explication sensée, une analyse raisonnable des événements... Mais il ne gagnerait pas sa confiance en la protégeant de la brutalité des faits. C'était son opinion qu'elle voulait. Sans fioritures ni figures de style.

— Au contraire. Ils avaient l'air terrifié, tous les deux, observa-t-il. Ils nous cachent quelque chose, c'est certain.

Elle hocha pensivement la tête.

— S'il y a une preuve qu'Elliott n'est pas mort d'un accident cardiaque, elle se trouve forcément dans les prélèvements que Phil examinait avant sa mort. Crois-tu que la police nous laisserait les regarder ?

— J'en parlerai à l'inspecteur Dibell. Nous verrons bien.

Il se leva, mais comprit aussitôt qu'il n'était pas prêt à quitter la pénombre apaisante de la petite alcôve. Il tendit la main à Joanna et l'étreignit un instant — juste assez pour sentir la chaleur de son corps contre le sien. Son parfum délicat envahit ses sens, évoquant les souvenirs infiniment troublants de leur unique nuit d'amour.

— Dish…, murmura-t-il. Je…

— Chut… Ne dis rien. Moi aussi, confessa-t-elle d'une voix enrouée, vibrante de désir.

Il prit une inspiration. Elle avait raison. Ce n'était pas le moment… Il avait convoqué Lucy Chavez dans son bureau. Et devait trouver le moyen d'extorquer les prélèvements *post-mortem* d'Elliott Vine à l'inspecteur Dibell.

— Allons-y, déclara-t-il avec un sourire. Je passerai mes nerfs sur cette chère Lucy.

Joanna se hissa sur la pointe des pieds pour chuchoter, une lueur coquine au fond des yeux :

— Du moment que ce ne sont que les nerfs…

Ils arrivèrent au bureau de Brad dix minutes avant l'heure qu'il avait fixée à Lucy Chavez. Il en profita pour prendre connaissance des nombreux messages laissés par son assistante — une quinzaine, tous « très urgents », bien sûr —, et passer quelques coups de téléphone, en plus de celui qu'il destinait à l'inspecteur Dibell.

Cette dernière étant absente pour la matinée, Brad demanda à parler à son supérieur direct… qui se révéla être une de ses connaissances, comprit Joanna en écoutant leur conversation. Ils s'étaient rencontrés deux ans plus tôt, lorsque la police de Chicago avait lancé une vaste campagne de relations publiques. La coïncidence, pour être bienvenue, n'était guère surprenante : Brad avait le don de se faire des amis dans les milieux les plus divers.

Amusée, elle l'écouta présenter sa requête, défendre son point de vue, et obtenir rapidement gain de cause ! Lorsqu'il raccrocha, il avait convaincu son interlocuteur de lui autoriser l'accès aux prélèvements de tissus que Phil avait examinés au microscope avant d'être assassiné.

L'assistante de Brad passa la tête dans l'entrebâillement de la porte pour prévenir de l'arrivée de Lucy Chavez, qu'il invita immédiatement à entrer.

— Assieds-toi, Lucy, la pria-t-il en désignant l'un des sièges qu'il réservait aux visiteurs.

Joanna prit place à son tour — à droite de la jeune femme — et Brad se laissa retomber dans le vaste fauteuil qu'il occupait, derrière son bureau.

— Alors, que puis-je faire pour vous ? s'enquit Lucy d'un ton chantant, hérité de son espagnol natal.

— J'ai découvert un certain nombre de choses, ces jours-ci, commença Brad d'un ton détaché. A propos d'Hensel Rabern et d'Elliott Vine, notamment.

— Vraiment ? répliqua Lucy, feignant la surprise d'un battement de cils.

Mais Joanna n'était pas dupe : cette femme avait joué un rôle dans les événements des dernières quarante-huit heures. Restait à découvrir lequel…

— Tu sais sans doute que Ruth Brungart et Hensel Rabern ont dîné ensemble la semaine dernière, reprit Brad sur le ton de l'évidence.

Elle haussa les épaules. Avec une nonchalance trop étudiée, peut-être

— Non, je ne le savais pas. Et je ne vois pas en quoi cela me concerne.

— Moi si, objecta Brad en se carrant dans son fauteuil. D'après Ruth, Elliott a mis Hensel dans une situation difficile en lui demandant de l'opérer. Franchement, je ne vois pas pourquoi, et c'est pour cela que je me suis permis de te convoquer. Ruth semble persuadée que tu pourrais nous expliquer ce mystère.

— « Mystère » est un bien grand mot, Brad ! Tout l'hôpital savait qu'Hensel et Elliott se détestaient. Depuis toujours, d'ailleurs. Ils se disputaient pour un rien, tu le sais aussi bien que moi ! Si je n'étais pas intervenue l'année dernière, Hensel aurait quitté l'hôpital.

— A cause d'Elliott ? s'enquit Joanna, étonnée.

— Entre autres, oui. Et puis, il avait reçu une offre de poste à l'hôpital universitaire. Le Rose Memorial aurait perdu gros s'il avait accepté : Hensel est le chirurgien qui nous apporte le plus de patients chaque année. Je vous laisse imaginer la catastrophe financière que son départ aurait causée !

— Tu as donc convaincu Hensel Rabern de rester. Et de continuer à opérer ses patients chez nous, conclut Brad.

— Exactement. Ce genre de négociations fait partie de mon travail.

— La partie n'a pas dû être facile, remarqua Joanna. L'hôpital universitaire a certainement fait monter les enchères…

— Bien sûr. Ils étaient prêts à dérouler le tapis rouge. Bureau en ville, service de comptabilité et de facturation à la charge de l'hôpital, équipement flambant neuf… Rien n'était trop beau pour leur future recrue.

Brad fronça les sourcils.

— Pourquoi Hensel a-t-il accepté de rester, au juste ? Car c'est évident que le Rose Memorial n'avait pas les moyens de surenchérir…

Un sourire satisfait étira les lèvres de leur interlocutrice.

— Parce que je le lui ai demandé répondit-elle avec un regard ambigu.

Joanna la fixa, médusée. Sœur Marie Bernadette ne s'était donc pas trompée : Lucy Chavez prenait réellement son travail trop à cœur. Au point de mettre son physique de sirène au service des intérêts de l'hôpital… Quand ils servaient les siens, bien sûr.

Prête à tout pour retenir Hensel Rabern au Rose Memorial, Lucy lui avait offert de compenser *en nature* les avantages auxquels il s'apprêtait à renoncer… Elle n'avait pas perdu au change, d'ailleurs. Sa carrière avait grandement bénéficié de la décision d'Hensel, que la direction regardait comme un beau succès de la directrice des relations internes. Elle arborait une fortune en tailleurs griffés, escarpins dernier cri et bijoux précieux — autant de cadeaux que Rabern avait certainement été ravi de lui offrir.

— Sœur Marie Bernadette a dû être horrifiée, observa Joanna dans un murmure… qui n'échappa pas à Lucy.

— C'est vrai, assura-t-elle en éclatant de rire. La pauvre femme a été ho-rri-fiée… mais que veux-tu ? Elle vient d'une autre époque, la chère âme !

C'était le mot de trop. Brad, qui vouait une affection sincère à la religieuse, ne supportait pas qu'on lui manque de respect. Il tapa sèchement sur son bureau du plat de main, comme pour mettre fin au petit jeu de Lucy Chavez.

— Ta vie privée est fascinante… mais je ne vois pas ce qu'elle vient faire ici, asséna-t-il d'un ton qui n'avait plus rien de courtois. Si Vine et Rabern se détestaient autant que tu le dis, pourquoi Elliott a-t-il demandé à Hensel de l'opérer ? Ce n'est pas le seul chirurgien cardiaque du Rose Memorial !

L'étonnement le plus complet se peignit sur le visage de la directrice des relations internes.

— Bon sang, Brad… Tu n'as toujours pas compris ?

— Compris quoi ? interrogea-t-il d'une voix presque menaçante.

Joanna, elle, voyait parfaitement où Lucy voulait en venir.

— Elle a rompu son contrat, expliqua-t-elle en braquant un regard dégoûté sur l'intéressée. N'est-ce pas, Lucy ? Tu as largué Hensel pour Vine ?

Il n'était pas dans ses habitudes de s'exprimer de façon si familière, mais les agissements de Lucy ne méritaient pas d'autres termes.

— Oui, admit cette dernière sans se démonter. Et je ne le regrette pas.

Elle lâcha un soupir, comme si la seule mention de sa liaison avec Rabern la plongeait dans une profonde lassitude.

— Il était ennuyeux comme la pluie… Un peu vieux, aussi. Tandis qu'Elliott, lui, était encore jeune. C'était un sale type, bien sûr… mais vous l'êtes tous, non ? conclut-elle en décochant un sourire méprisant à Brad, qui lui opposa un calme olympien.

— Pas tous, non. Tu n'as que ce que tu mérites, j'imagine.

146

Cette fois, Lucy eut peine à cacher son irritation. Que Brad la pousse à révéler sa vie privée, passe encore... mais qu'il se montre si imperméable à ses attaques relevait sans doute du crime de lèse-majesté !

— Je ne te permets pas de me juger, rétorqua-t-elle. Je m'ennuyais, j'ai changé de crémerie, c'est tout. Elliott aurait dû s'en contenter, mais non... il voulait humilier Hensel jusqu'au bout. C'est pour ça qu'il lui a demandé de l'opérer : il savait pertinemment que l'autre ne pourrait rien contre lui en salle d'opération, alors qu'il mourrait d'envie de se venger. C'était franchement tordu, mais Elliott était comme ça. Un sale type, je te dis !

Joanna se mordit la lèvre. Toute cette histoire la révulsait. Lorsqu'elle était entrée au bloc opératoire, trois jours plus tôt, elle était loin d'imaginer le terrible scénario qui se jouait entre le chirurgien et son patient... Hormis sœur Marie Bernadette, personne n'avait deviné qu'elle avait été la maîtresse de deux des hommes les plus en vue du Rose Memorial.

— Un instant, Lucy, intima Brad comme la jeune femme se levait pour partir. Sais-tu pourquoi Hensel était si pressé de faire sortir Chip, tout à l'heure ?

Elle haussa les épaules d'un air indifférent.

— Aucune idée. Il ne me raconte plus rien, ces temps-ci.

Après le départ de Lucy, Brad demeura longtemps silencieux. Perdue dans ses pensées, Joanna ne songea pas à relancer la conversation.

— Je peux comprendre que Vine ait demandé à Rabern de l'opérer... mais pourquoi Hensel a-t-il accepté ? finit par dire Brad.

— Je me posais la même question, confia-t-elle. Je crois qu'ils étaient dans une surenchère permanente, tous les deux. Rabern aurait perdu la face s'il avait refusé d'opérer Vine. D'autant qu'il avait tout à y gagner d'un point de vue professionnel : le fait que Vine l'ait choisi nous est apparu comme une marque de confiance. Rappelle-toi : Elliott répétait à qui voulait l'entendre qu'il avait élu le meilleur chirurgien disponible. Du coup, Rabern ne pouvait plus refuser... ce qui ne l'a certainement pas empêché de souhaiter sa mort avant et *pendant* l'opération.

— Oui. Il n'était sans doute pas ravi d'opérer l'homme qui lui avait volé sa maîtresse, observa Brad.

— Ça, personne ne le savait. A part Ruth, peut-être, si Rabern lui avait confié ses malheurs. Et Marie Bernadette, bien sûr.

— Il n'en était pas moins furieux, Dish. Et n'oublie pas qu'il avait un scalpel en main, ce jour-là... Qui sait s'il n'a pas trouvé le moyen de tuer son rival sous vos yeux ?

9

Joanna secoua la tête.

— J'y ai repensé hier soir, après notre conversation, mais franchement, je n'arrive toujours pas à croire que Rabern ait tué Elliott. Pour deux raisons simples...

— Je t'écoute, enchaîna-t-il en la dévisageant avec attention.

Elle s'éclaircit la gorge, comme lorsqu'elle s'apprêtait à prendre la parole en réunion.

— Primo, parce que Rabern n'avait pas les moyens *matériels* d'assassiner Elliott pendant l'opération. Il n'était pas seul autour de la table : en plus des deux chirurgiens vasculaires, l'interne en chirurgie et l'instrumentiste sont restés près de lui jusqu'à la fin. Si Hensel avait tenté de saboter ou de bâcler quoi que ce soit, les autres s'en seraient aperçus.

— N'empêche qu'Elliott est bel et bien mort sur cette table. Il y a donc forcément une explication... Quel est ton second argument ?

— Ruth Brungart nous a elle-même suggéré d'aller interroger Lucy Chavez.

— Et alors ? Elle voulait peut-être simplement m'informer des agissements de Lucy... Telle que je la connais, Ruth a forcément vu d'un mauvais œil sa liaison avec Rabern.

149

Et quand Lucy s'est tournée vers Vine, elle a dû être aussi choquée que Marie Bernadette !

— C'est juste. Et cela explique en partie son attitude envers nous. Le simple fait qu'elle a nommé Lucy devant nous prouve qu'elle voulait nous inciter à découvrir le pot aux roses — je suis d'accord avec toi là-dessus. Peut-être même espérait-elle que tu en parlerais à la direction… D'un autre côté, si elle avait soupçonné Hensel d'avoir tué Vine, elle se serait bien gardée de nous parler de Lucy !

Elle avait ôté ses chaussures en parlant, et massait distraitement son pied encore endolori par l'exercice de la veille. Levant les yeux à la fin de sa tirade, elle constata que Brad contemplait son pied nu avec une délectation évidente… Elle toussota pour attirer son attention. Et elle lui décocha un regard désapprobateur lorsqu'il releva la tête.

Mais Brad n'était pas le genre d'homme à rougir de ses actes. Affrontant son regard, il lui décocha un des sourires renversants dont il avait le secret.

— Je t'écoute, Dish. Je suis capable de faire plusieurs choses à la fois, tu sais.

— Vraiment ?

— Vraiment. La preuve ? Tu étais en train de remarquer que Ruth ne nous aurait pas envoyés voir Lucy si elle avait soupçonné Hensel du meurtre de Vine. Autrement dit, poursuivit-il en laissant ostensiblement glisser son regard vers le renflement de ses seins, cette chère Ruth a sans doute estimé que Rabern ne se serait pas risqué à tuer son rival… parce qu'il savait que sa jalousie ferait de lui le suspect numéro un. Si Vine était mort de façon suspecte, la police aurait mené l'enquête, et vite découvert en Hensel l'amant éconduit de Lucy. Or, Rabern était sans doute affreusement jaloux de Vine, mais pas idiot au point de le tuer. Ruth l'avait compris et nous a donc aiguillés vers Lucy Chavez avec la certitude que cela ne nuirait pas à son ami, le très innocent Dr Rabern. C'est bien cela, Dish ?

Difficile de rester de marbre après un tel tour de force… Sous le charme, Joanna ne bouda pas son plaisir. Et ponctua sa démonstration d'un bel éclat de rire. Parce qu'il venait effectivement de lui prouver qu'il pouvait faire plusieurs choses à la fois : imiter Sherlock Holmes à la perfection. Tout en éveillant son désir d'un regard caressant.

— C'est bien cela, acquiesça-t-elle en reprenant son sérieux. Nous sommes d'accord : Hensel Rabern n'a pas tué Elliott Vine.

— Non. Je suis certain qu'il en a rêvé, mais il n'a pas eu les moyens de le faire. Et il n'a sans doute rien à voir avec le meurtre de Phil, ce qui l'écarte doublement de la liste des suspects.

Elle sentit un frisson glacé lui parcourir la nuque, comme chaque fois qu'elle se remémorait la mort de son ami. Vaillamment, elle s'efforça de l'ignorer. Et se pencha pour remettre ses chaussures, histoire de s'occuper les mains.

— Revenons en arrière, suggéra Brad. C'est le meilleur moyen de comprendre ce qui s'est passé. Es-tu sûre que personne n'a eu accès à ton matériel ou à l'intraveineuse pendant la transfusion ?

Elle réfléchit un instant avant de répondre.

— Je ne peux pas en être absolument sûre… mais tout fonctionnait normalement. Même à la fin : les alarmes se sont déclenchées dès que la tension d'Elliott a commencé à baisser. Quant à l'intraveineuse, je suis la seule à y avoir touché.

— Personne ne t'a distraite, ne serait-ce qu'un instant ?

— Non. Nous étions tous très concentrés. Et je n'aurais laissé personne me distraire : cette opération m'offrait enfin l'occasion de prouver mes compétences à Rabern et à la vieille garde de l'hôpital. Tous ces pontes prétentieux qui me reprochent mon jeune âge..., ajouta-t-elle avec une pointe de colère.

— Sauf qu'au lieu de les épater tu te retrouves dans leur ligne de mire, conclut-il sur le même ton.

Il se leva et contourna son bureau, auquel il s'adossa, lui faisant face.

— Hormis Rabern et toi, penses-tu qu'un autre membre de l'équipe avait les moyens de provoquer la mort d'Elliott ?

— Non. Les chirurgiens vasculaires auraient pu le blesser, mais pas le tuer. Quant à l'instrumentiste et à l'interne, ils ne sont pas intervenus dans les moments critiques.

— Dans ce cas, la thèse du meurtre paraît indéfendable. Elliott est peut-être effectivement mort d'un arrêt cardiaque...

— Et Phil, alors ? interrompit-elle vivement. Il serait mort pour rien ?

Il baissa la tête un instant, puis affronta son regard avec fermeté.

— C'est le problème, Dish. J'aimerais croire, comme toi, que Phil cherchait la vérité et l'a payé de sa vie. Mais le fait est qu'il a été assommé avec son microscope et que sa montre, ses cartes de crédit et son alliance ont disparu. Nous ne pouvons pas réfuter la thèse du SDF, alors que nous n'avons même pas les moyens de prouver qu'Elliott a été assassiné au bloc.

Elle laissa échapper un soupir de dépit. Brad avait raison : les deux meurtres étaient liés l'un à l'autre. Tant qu'ils n'auraient pas la certitude qu'Elliott avait été victime d'un acte criminel, la police continuerait d'attribuer la mort de Phil à un sans-abri. Parce que c'était objectivement la meilleure explication possible. Elle ferma les yeux, ulcérée par la monstrueuse banalité des faits. Phil serait donc mort pour une poignée de dollars ? Parce qu'il avait eu le malheur de se trouver au mauvais endroit au mauvais moment ?

Inconsciemment, elle joignit ses mains sous son menton comme pour une prière.

— Dis-moi que tu continues d'y croire, murmura-t-elle en dévisageant Brad avec intensité. Dis-moi que tu ne cherches pas à me persuader d'arrêter l'enquête !

— Je ne cherche pas à te persuader, Jo. J'essaye simplement de te rappeler que nous n'avons aucune certitude. Ni dans un sens ni dans l'autre : nous ne pouvons pas davantage expliquer la mort de Vine qu'écarter la thèse du SDF. Mais nous ne faisons peut-être pas fausse route… Nous manquons encore d'éléments, c'est tout.

Elle acquiesça, un peu rassérénée. Le savoir à son côté l'aidait à garder espoir. Elle n'était donc pas seule à *vouloir* croire, contre toute évidence, que Phil n'avait pas été agressé par un vagabond. A se souvenir qu'il avait relevé des détails troublants dans l'autopsie de Vine ; que sœur Marie Bernadette avait verrouillé la porte de la cuisine à 22 heures précises ; et qu'un intrus s'était glissé chez elle, la veille.

Autant d'événements apparemment insignifiants qui, mis bout à bout, suggéraient l'existence d'une autre vérité.

Celle que Phil s'apprêtait à découvrir. Celle pour laquelle il était mort.

— Je ne renoncerai pas, Brad. Tant qu'un médecin légiste, aussi compétent que Phil, n'aura pas jeté un œil sur les prélèvements *post mortem* de Vine pour comprendre ce que Phil avait ou n'avait pas découvert, je refuserai de croire que Vine est mort d'un accident. Mais si tu dois défendre le point de vue contraire pour apaiser la presse, je comprendrais parfaitement que tu…

— Arrête, Dish. Je cherche la vérité autant que toi. Tu ne comprends donc pas ? lança-t-il, rivant ses yeux aux siens. Je te suivrai jusqu'au bout dans cette histoire. Pas parce que je crois aux découvertes de Phil Stonehaven. Je ne suis même pas certain qu'Elliott ait été assassiné… Mais Phil l'a été. Et si nos déductions sont justes, *tu* es la prochaine sur sa liste. C'est pour ça que je continue, Jo. Je veux mettre la main sur ce salaud avant qu'il ne te fasse subir le même sort que Phil pour t'empêcher de parler.

Elle sentit son cœur s'accélérer. Brad était prêt à tout risquer — tout ce qui comptait à ses yeux : sa carrière, sa réputation, sa crédibilité professionnelle — parce qu'*elle* voulait prouver que Phil n'était pas mort pour rien. Il tenait suffisamment à elle pour faire passer ses convictions avant l'intérêt de l'hôpital. Et la protéger des attaques d'un criminel.

Pouvait-elle lui faire confiance ? Croire en ses belles paroles, en ses protestations d'amour ? Quelques mois plus tôt, elle les auraient balayées d'un geste. Parce qu'elle avait appris à se méfier de ceux qui, comme son père, savaient séduire leur auditoire d'un sourire, d'une phrase bien tournée. Brad aussi avait ce talent.

Mais le parallèle s'arrêtait là. Hormis l'éloquence, les deux hommes n'avaient rien en commun. Brad était un type bien, lui.

Et surtout, il tenait à elle.

— Comment comptes-tu t'y prendre, au juste ? interrogea-t-elle en dissimulant son embarras sous un air soucieux. Delvecchio n'a aucune envie d'ébruiter le scandale. Il fera le siège de ton bureau jusqu'à ce que tu lui promettes de tenir la presse à l'écart.

— Sœur Marie Bernadette m'a promis de l'amadouer. Ce qui me laisse tout loisir de veiller sur toi dans les jours à venir…

Impossible de ne pas remarquer l'ambiguïté de son propos, qu'il souligna d'un regard ouvertement sensuel. Impossible aussi de ne pas tomber sous le charme de ce regard… Prise au piège, Joanna sentit ses joues s'empourprer. Elle cherchait vainement un moyen de reprendre contenance, quand son bip sonna, lui offrant le répit espéré. Le numéro qui s'affichait sur le petit écran était celui du portable de Ron Mendelssohn.

— C'est Ron, annonça-t-elle à Brad. Cela t'ennuie, si je le rappelle de ton poste ?

— Pas du tout. Je vais nous chercher un peu de café.

Demeurée seule, Joanna composa le numéro de Ron, qui décrocha à la première sonnerie.

— Ron ? C'est Joanna.

— Ah, merci de me rappeler. Ecoute, je suis désolé, mais nous avons besoin de toi, finalement. George Segal est venu ce matin pour te remplacer, mais il sort tout juste d'une grosse grippe et il n'est pas assez en forme pour rester jusqu'à cet après-midi.

— Veux-tu que je…

— Oui. Nous n'avons personne d'autre. Peux-tu nous donner un coup de main ?

Elle réfléchit rapidement. Le supérieur de l'inspecteur Laverne Dibell ne les rappellerait sans doute pas avant demain. D'ici là, elle serait sans doute plus utile au bloc opératoire que dans le bureau de Brad…

— Entendu, acquiesça-t-elle. A quelle heure as-tu besoin de moi ?

— A 11 heures, ce serait parfait. Une transplantation cardiaque, avec Colin Rennslaer.

Brad revint à cet instant, deux tasses d'expresso à la main. D'un regard, elle s'assura qu'il avait agrémenté l'une d'elles d'une généreuse dose de lait, et l'accepta avec gratitude.

— C'est d'accord, Ron, conclut-elle. A tout à l'heure.

— Merci. Je te revaudrai ça.

Elle reposa le combiné et porta la tasse de café à ses lèvres.

— Tu retournes au charbon, si je comprends bien ? commenta Brad avec une pointe d'ironie.

— Oui. Pas de répit pour les braves... Le collègue qui devait me remplacer a la grippe. Il faut que j'y aille.

Il but son café d'un trait et posa la tasse vide sur le coin de son bureau, puis, lentement, il se pencha vers elle. Un sourire de prédateur étirait ses lèvres — le même que la veille, dans l'ascenseur. Et dans ses yeux brillait la lueur sensuelle qui avait le don de la faire chavirer.

— Es-tu brave, Dish ?

— Pas toujours, répondit-elle, tremblante d'anticipation.

— Dans ce cas, il est temps de tester ta résistance.

— A quoi ?

— Au plaisir, par exemple.

Et, sans attendre sa réaction, il s'empara de sa bouche. Prise de vertige, elle ne songea même pas à le repousser. Et ce fut d'un pas dansant qu'elle pénétra dans la salle d'opération, vingt minutes plus tard.

Après la transplantation cardiaque, Joanna fut appelée au bloc pour une hernie discale, immédiatement suivie d'une biopsie mammaire. Tout s'étant déroulé comme prévu, elle bénéficia alors d'une courte pause, qu'elle mit à profit en contactant un vitrier pour remplacer le carreau cassé dans sa cuisine ; Beth, qu'elle joignit ensuite, eut à peine le temps de lui annoncer que les funérailles de Phil étaient fixées au dimanche suivant que son bip se mit à sonner furieusement. Et ce fut aux urgences qu'elle termina sa journée de travail, enchaînant une péritonite, une dislocation de la hanche et une césarienne — programme somme toute assez calme pour un vendredi après-midi.

Elle quitta l'hôpital vers 20 h 30 et monta aussitôt dans le taxi que Brad lui avait fait promettre d'appeler. A l'entendre, il n'était pas question qu'elle rentre seule : le meurtrier de Phil rôdait toujours, prêt à saisir la moindre occasion pour l'agresser à son tour… Refoulant cette pensée désagréable de son esprit, elle s'adossa avec plaisir contre la banquette, et s'absorba dans la contemplation du coucher de soleil qui embrasait Lake Shore Drive.

Lorsque le chauffeur se gara devant l'immeuble de Brad, quelques minutes plus tard, le portier, vraisemblablement prévenu de son arrivée, l'aida à descendre, régla la course et l'escorta jusqu'à l'ascenseur comme si sa vie en dépendait. Flattée, Joanna laissa échapper un soupir de contentement. Si seulement toutes ses journées pouvaient s'achever de la sorte…

Elle poussa la porte de l'appartement, que Brad avait laissée ouverte en prévision de son arrivée, et gagna le salon, d'où s'échappait le murmure d'une conversation. Brad se leva en la voyant entrer, tandis que son invitée tournait vers elle un visage pâle mais souriant.

— Beth ? marmonna Joanna, surprise et ravie à la fois. Qu'est-ce que tu… ?

— J'ai pensé que vous seriez heureuses de passer un moment ensemble, expliqua Brad en la prenant par la main pour la guider jusqu'au canapé, où son amie avait déjà pris

157

place. Quand elle a téléphoné tout à l'heure, je ne lui ai pas laissé le choix… Ça te convient, j'espère ?

— Bien sûr.

Qu'il ait pensé à inviter Beth la touchait profondément. Etait-il coutumier de ce genre de gestes ?

Le serait-il, s'ils habitaient ensemble ? La question, inattendue, troublante, lui traversa l'esprit. Et la réponse s'imposa aussitôt : oui. Brad était, et avait toujours été un homme généreux. Vivre à son côté réservait sûrement de délicieuses surprises…

— Merci, ajouta-t-elle. Tu ne pouvais pas me faire plus plaisir.

— De rien. Le dîner sera prêt dans cinq minutes. Veux-tu un verre de rosé en attendant ?

— Volontiers.

Il se dirigea vers la cuisine, d'où s'échappait l'odeur appétissante d'une sauce marinara.

— Il est adorable, n'est-ce pas ? lança Beth d'un ton étrangement solennel.

Joanna acquiesça, un peu gênée, puis elle s'installa près d'elle, et lui prit doucement la main.

— Comment te sens-tu — vraiment ? demanda-t-elle.

Les genoux remontés sur sa poitrine, Beth avait l'air d'une enfant perdue. Ou d'une très vieille femme, assagie par les années. Portant son verre à ses lèvres, elle avala une gorgée de vin avant de répondre, d'une voix étrangement lointaine :

— Vide. Je me sens vide, Jo. Figée dans le temps. Les garçons n'ont pas encore bien compris… Matt n'arrête pas de réclamer Phil, et je ne sais plus quoi lui répondre.

Joanna n'avait pas de réponse, elle non plus. La gorge nouée, elle pressa la main de Beth dans la sienne. Matt, le plus jeune de ses deux fils, n'avait que trois ans. Et déjà plus de papa.

— Franchement, je ne sais pas comment je vais m'en sortir, reprit Beth après une profonde inspiration. Je n'arrive même pas à *imaginer* que je m'en sortirai un jour. Alors, j'improvise. Une heure après l'autre. Chaque heure passée sans m'effondrer est une victoire.

Brad revint avec le verre de Joanna, qu'il lui tendit en souriant.

— C'est prêt, annonça-t-il. Nous pouvons passer à table.

— Allons-y ! suggéra Beth avec un enthousiasme un peu forcé. Le vin m'a ouvert l'appétit.

Il avait dressé le couvert avec un soin particulier : nappe en lin bleu nuit, porcelaine blanche, argenterie, verres à pied, bougies… rien ne manquait pour faire de ce dîner un moment apaisant et chaleureux.

— C'est magnifique, complimenta Beth. Je ne savais pas que ta mère t'avait si bien élevé !

— Ma mère ? Elle serait aussi étonnée que toi, répliqua-t-il avec un sourire amusé.

— Hmm… Tu tiens forcément d'elle d'une façon ou d'une autre.

— Je l'espère. Elle avait le don de rendre élégantes les choses les plus simples.

— C'est une qualité rare, murmura Beth en s'asseyant.

Joanna remplit leurs verres, avant de prendre place à son tour pendant que Brad servait les tagliatelles et la sauce marinara.

Après le dîner, qu'ils savourèrent en échangeant de menus propos sur la journée écoulée, Beth orienta la conversation vers la raison pour laquelle elle avait appelé Brad, en fin d'après-midi.

— J'ai reçu un appel de Tavish McCarter à l'heure du déjeuner, et je voulais vous en parler. Te souviens-tu de lui ? demanda-t-elle en s'adressant à Joanna. Tu l'as probablement croisé chez nous un jour ou l'autre.

Joanna fronça les sourcils.

— Son nom m'est familier… mais je n'arrive pas à le situer.

— C'était le directeur de recherches de Phil à l'institut médico-légal. Phil et lui sont… *étaient* restés amis, se reprit Beth avec raideur, comme si elle récitait une leçon mal apprise. Il voulait me mettre au courant, pour les prélèvements *post mortem* de Vine…

— Comment cela ? interrompit Joanna, stupéfaite. Il connaît leur existence ?

— Oui. L'inspecteur Dibell les lui a envoyés pour expertise hier soir. Et comme Brad a fait jouer ses relations pour les récupérer, ajouta-t-elle, il commençait à se poser des questions. Dibell lui a simplement expliqué que Phil travaillait dessus quand il a été…

Elle s'arrêta net, incapable d'achever sa phrase.

— Si l'inspecteur est convaincue que Phil a été attaqué par un sans-abri, enchaîna Brad avec tact, pourquoi a-t-elle envoyé les prélèvements à l'institut médico-légal ?

Beth haussa les épaules.

— Tavish a eu l'impression qu'elle ne savait pas quoi en faire. Elle veut peut-être simplement avoir une idée de leur contenu avant d'écrire son rapport…

— Excellente initiative de sa part, décréta Joanna avec satisfaction. J'avais l'intention de les envoyer à un médecin légiste, de toute façon. Sais-tu ce que Tavish en a pensé ?

— Secret de l'instruction, Jo. Il n'a pas pu me le dire.

— Pourquoi t'a-t-il appelée, alors ? interrogea Brad d'un air perplexe.

160

— Parce qu'il est bouleversé par la mort de Phil. Il voulait savoir si les prélèvements nous aideraient à identifier le meurtrier.

Elle s'interrompit un instant, comme pour se remémorer sa conversation avec Tavish, avant de reprendre :

— Si tu lui expliquais l'importance de ces prélèvements pour l'enquête, il accepterait peut-être de te communiquer son opinion, Jo. Il est vraiment révolté par toute cette histoire et… je crois qu'il fera de son mieux pour m'aider.

— Ce serait formidable, commenta Joanna. Si ces prélèvements prouvent qu'Elliott n'est pas mort d'un accident cardiaque, nous aurons la certitude que Phil était sur une piste. Et que quelqu'un l'a tué avant qu'il puisse révéler ce qu'il savait.

Elle regretta aussitôt ses propos : Beth se mit à trembler, comme chaque fois qu'elle prenait conscience de la brutalité avec laquelle son mari avait été assassiné.

— Beth…, murmura Brad en lui prenant la main. Nous pouvons parler d'autre chose si tu préfères.

Elle lui adressa un sourire chancelant.

— Ça ira, je t'assure. L'important, c'est de mettre la main sur le meurtrier, non ?

Elle se mordit la lèvre, avant de reprendre plus fermement :

— Il n'y a plus grand-chose à dire, de toute façon. Je rappellerai Tavish demain pour lui demander de vous recevoir. Depuis son divorce, il va souvent travailler au labo le dimanche matin. S'il est d'accord, vous pourriez le retrouver là-bas avant l'enterrement.

Joanna opina.

— Entendu.

— Je ferais mieux de rentrer, maintenant, annonça Beth. Il est tard et je ne veux pas laisser mes parents seuls avec les enfants trop longtemps.

— Je te raccompagne, déclara Brad en se levant.

— Ce n'est pas la peine, je t'assure. Vous avez déjà tellement fait pour moi, ce soir... et puis, ça me fera du bien d'être un peu seule. Il faut que je m'y habitue, non ?

Elle s'était exprimée d'un ton bravache, mais les larmes lui montèrent aux yeux, et ses lunettes se couvrirent de buée. Elle était si vulnérable, si affreusement fragile, songea Joanna, réprimant un sanglot à son tour.

— Laisse-nous au moins t'accompagner jusqu'à la station de taxi, insista Brad en lui couvrant les épaules de son châle. Il y en a une au bout de la rue.

— D'accord, concéda-t-elle.

Ils n'eurent même pas à marcher jusqu'à la station : un taxi venait de déposer une cliente devant l'immeuble, et Beth monta dedans avec soulagement. Elle semblait pressée de rentrer chez elle — pour pouvoir se laisser aller à son chagrin en toute discrétion sans doute. Les efforts qu'elle déployait pour ne pas craquer en public devaient l'épuiser.

La gorge nouée, Joanna se pencha pour l'embrasser.

— La vie est trop courte, Jo, chuchota son amie en lui rendant son étreinte. Il t'aime, c'est évident. Ne perds pas une minute de plus, je t'en prie.

10.

De retour dans l'appartement, Joanna fit la vaisselle tandis que Brad achevait de ranger la cuisine. Les propos de Beth revenaient en boucle dans son esprit, comme une ritournelle entêtante : « Ne perds pas une minute de plus », avait-elle supplié.

Et si elle avait raison ?

— Que dirais-tu d'un verre de cognac ? suggéra Brad en rangeant la dernière assiette dans le placard.

— Bonne idée. Tu me raconteras ta journée.

Il prit la bouteille d'alcool dans le mini-bar du salon, remplit deux petits verres et la précéda sur la vaste terrasse aménagée dans le prolongement du salon. L'appartement, situé au vingt-sixième et dernier étage de l'immeuble, offrait une vue imprenable sur le lac Michigan et la ville de Chicago. Plusieurs plants de clématites en fleur s'enroulaient autour du treillage dressé le long des murs, conférant une atmosphère bucolique à cette plate-forme suspendue au cœur de la jungle urbaine. Une table et des chaises longues en teck se dressaient sur le sol pavé de tommettes, qui disparaissait par endroits sous les pots de fougères et de bégonias. Brad alluma quelques photophores de verre coloré, puis, son verre en main, il rejoignit Joanna, qui s'était accoudée à la balustrade.

La lune s'était levée, ronde et pleine — l'équinoxe approchait —, offrant sa joue orangée aux caresses paresseuses d'un banc de nuages poussé par la brise du soir. En contrebas, les eaux noires du lac se plissaient paresseusement avant de mourir sur les berges sablonneuses aux pieds des derniers promeneurs de la journée.

Joanna porta son verre à ses lèvres avec un sourire doux-amer.

— C'est si calme... On pourrait presque croire que tout va bien.

— Tu te fais du souci pour Beth, n'est-ce pas ? s'enquit Brad d'un ton compatissant.

— Oui. Mais raconte-moi plutôt ta journée, ça me changera les idées, ajouta-t-elle vivement.

En espérant que le récit de Brad la distrairait assez pour lui faire oublier l'injonction de Beth : *N'attends pas une minute de plus...*

— D'accord, acquiesça-t-il en se tournant à demi vers elle. Pour commencer, un reporter bien informé m'a harcelé de questions à propos du séjour de Chip aux urgences. Je ne sais pas comment il l'a découvert, mais il voulait tout savoir — y compris sur la camisole de force, bien sûr. Ensuite, l'inspecteur Dibell m'a rendu visite pour me parler de Phil.

— A-t-elle terminé les interrogatoires ?

— Quasiment. Si rien de nouveau ne se présente dans les deux ou trois jours, elle classera l'affaire.

— Privilégie-t-elle toujours la piste du sans-abri ?

— Oui. Elle a recueilli le témoignage de sœur Marie Bernadette, mais cela ne suffit pas, d'après elle, à reconsidérer la thèse de l'agression. Elle est persuadée que certains usagers de la soupe populaire ont pu faire le coup en abusant de sa confiance. Quant à la porte de communication avec la

164

cuisine, elle se fiche de savoir si Marie Bernadette l'avait verrouillée ou non avant de partir. Tout ce qui compte à ses yeux, c'est que cette porte était ouverte quand le corps de Phil a été découvert. Et comme c'est pratiquement le seul indice dont ils disposent...

— Vraiment ? interrompit Joanna, surprise. Ils n'ont pas relevé d'empreintes digitales ?

— Rien sur le microscope. Quant aux cheveux ou aux empreintes relevées dans la pièce, ils appartenaient soit à Phil soit aux autres membres du service d'anatomopathologie.

Il marqua une pause, avant de reprendre :

— Dibell a appris que tu as été cambriolée hier après-midi. Mais puisque rien n'a été volé, elle ne voit aucune raison de faire le rapprochement avec le meurtre de Phil. Malgré tout, elle aimerait que tu ailles faire une déposition au commissariat. Demain, si possible.

— Entendu, acquiesça-t-elle avec un haussement d'épaules. Mais ça ne changera rien à son opinion, si je comprends bien ?

Un sourire navré étira ses lèvres.

— Non, ça ne changera rien, Dish. De toute façon, elle n'a pas le temps d'approfondir l'enquête : son équipe croule sous les dossiers, et plus vite l'affaire Stonehaven sera classée, plus vite ils pourront passer à autre chose. Dibell s'en tiendra donc à sa version initiale, parce que c'est la plus efficace, la plus simple et la plus convaincante : Phil a été tué par un SDF qui lui volé sa montre et son porte-feuille avant de disparaître. L'histoire se tient, les indices concordent... que chercher de plus ?

Elle opina, sans colère, cette fois. Etrangement, elle n'en voulait pas à Dibell de se satisfaire de la piste du sans-abri. L'inspecteur ne faisait que son travail — un peu rapidement, certes, mais avec une logique imparable. Et puisque

Brad et elle n'avaient rien d'autre à lui offrir que de vagues suspicions, il était normal qu'elle classe l'affaire.

Oui, c'était parfaitement normal, se répéta-t-elle en buvant une autre gorgée de cognac, les yeux rivés sur un cargo qui s'éloignait lentement vers le large.

— Nous devrions parler à Rabern, déclara-t-elle quand le bateau disparut à l'horizon.

— Il est venu me voir cet après-midi pour me demander de présenter mes excuses à Chip et à Peggy.

Elle lui lança un regard étonné.

— Tes excuses ? C'est un peu exagéré, non ?

— Pas tant que ça, d'après lui. Il considère de notre devoir à tous de traiter les Vine avec le plus d'égards possible, compte tenu de ce qui est arrivé à Elliott.

— Comme c'est noble de sa part ! ironisa-t-elle. Lui as-tu demandé pourquoi il avait accepté d'opérer Elliott, justement ?

— Oui. Il a vite compris que Lucy Chavez nous avait tout raconté. Et il m'a reproché de l'avoir crue sur parole. A l'entendre, il n'y a jamais eu de rivalité entre Elliott et lui. Et s'il a accepté de l'opérer, c'était uniquement dans l'espoir de lui épargner une mort certaine.

— Hmm… De plus en plus noble, décidément !

— N'est-ce pas ? renchérit-il sur le même ton. Ensuite, j'ai eu droit à Jacob Delvecchio en personne. A deux reprises, d'ailleurs.

— Que voulait-il ?

— Me rappeler que je suis censé « mettre un terme à la publicité faite autour de cette malheureuse affaire », énonça-t-il, en imitant le débit rapide du directeur général.

Elle éclata de rire.

166

— Désolée, s'excusa-t-elle en reprenant son sérieux. Ça ne doit pas être drôle, d'avoir ces types sur le dos à longueur de journée.

Les journalistes, en particulier, devaient lui donner du fil à retordre. Surtout quand un scandale aussi juteux que celui de la matinée leur parvenait aux oreilles : le fils d'Elliott Vine, amené aux urgences dans une camisole de force, trois jours après la mort de son père en salle d'opération… Il y avait de quoi faire les gros titres de la presse locale, assurément !

— Ne t'en fais pas, objecta-t-il. C'est mon travail, et c'est ce que je fais de mieux.

Il posa son verre, qu'il venait de vider d'un trait, sur une console, avant d'ajouter :

— Et puis, je savais que ma journée se terminerait sur une note optimiste.

— Pourquoi ? s'enquit-elle sans comprendre où il voulait en venir.

— Parce que tu es là.

Elle tressaillit. « Il t'aime. Ne perds pas une minute de plus… », lui enjoignit la voix de Beth au fond d'elle-même. Une voix qu'elle tenta d'ignorer, une fois de plus. En vain. Les doutes qui l'assaillaient hier encore s'effondraient un à un. Brad était bien plus sincère, bien plus sensible qu'elle l'avait cru. Il tenait à elle — assez pour attendre qu'elle accepte de renouer avec lui. Mais pourquoi attendre davantage ? Pourquoi se contenter d'une existence étriquée et solitaire, quand elle pouvait vivre chaque instant plus intensément, plus pleinement que le précédent ? L'amour que Brad lui offrait était le cadeau le plus précieux qui soit. Il pouvait transformer sa vie aussi sûrement que Phil avait transformé celle de Beth.

A moins que... si elle se trompait ? S'il se révélait incapable de l'aimer aussi sincèrement qu'elle l'espérait ?

Au fond, comprit-elle brusquement, c'était d'elle-même qu'elle se méfiait. De sa capacité à démêler le vrai du faux, l'amour de l'illusion de l'amour. Elle craignait tant de se tromper, d'être blessée, comme sa mère, par un homme incapable de lui rendre son affection !

Alors, elle tentait de gagner du temps. De repousser le moment de prendre une décision. C'était lâche, sans doute, mais comment faire autrement ? Où trouver la force de vaincre les résistances qui dictaient sa conduite ?

En lui, peut-être — s'il parvenait à balayer les derniers doutes qu'elle avait sur son compte.

— Que fais-tu ici, Brad ? s'enquit-elle tout à trac, avant que la raison ne l'empêche de formuler la question qu'elle brûlait de lui poser depuis longtemps.

Il arqua les sourcils.

— Ici ? Tu veux dire à Chicago ?

— Oui. Qu'es-tu venu faire ici ? répéta-t-elle en se tournant vers lui.

La lune jouait dans ses cheveux sombres ; sa cravate dénouée, sa chemise un peu froissée lui donnaient l'air d'un mauvais garçon. Mais il aurait pu, aujourd'hui encore, inviter tout Madison Avenue à déjeuner d'un claquement de doigts.

— Tu te demandes ce qu'un requin comme moi fait dans votre pataugeoire, c'est ça ?

— Oui, acquiesça-t-elle. Et je me demande aussi... si tu es vraiment un requin.

— J'en étais un.

Il laissa son regard dériver un instant sur le lac, avant de reprendre, d'un ton grave, presque solennel :

168

— Oui, j'étais un requin il n'y a pas très longtemps… Tu te souviens de CareAmerica ?

— Le réseau d'hôpitaux accessibles à tous ? Bien sûr. C'était censé être la réponse aux inégalités de notre système de soins.

— Exactement. Sauf que les membres du conseil d'administration étaient d'une candeur à toute épreuve. Et qu'ils se sont fait plumer par les petits malins auxquels ils ont racheté les cliniques et les cabinets médicaux qui devaient constituer le futur réseau. Résultat : ils étaient endettés jusqu'au cou, avant même d'avoir reçu le premier patient. C'est là que je suis intervenu. Ils m'ont embauché pour redorer leur image. Et j'ai réussi. J'ai employé toutes mes techniques de requin, et j'y suis arrivé.

L'amertume qui teintait sa voix ne trompait pas : il n'éprouvait aucune fierté pour cette période de sa vie. Et moins encore pour l'homme qu'il avait été.

— Que s'est-il passé, ensuite ? interrogea-t-elle. CareAmerica a fait faillite, non ?

— Oui. Sans trop de casse, heureusement : le gouvernement, qui suspectait une malversation, a demandé à voir nos comptes. Les administrateurs ont pris peur et…sœur Marie Bernadette est venue me voir.

— Elle siégeait au conseil d'administration ?

Il hocha la tête.

— Elle était là depuis le début. Ses succès en matière de médecine pour tous, ici, au Rose Memorial, lui avaient assuré une petite notoriété, et les concepteurs de CareAmerica lui vouaient une confiance absolue. De son côté, elle croyait dur comme fer au projet. Mais tu la connais : pragmatique avant tout. Quand elle a compris que la fin approchait, elle m'a proposé de l'aider à lancer la bouée de sauvetage.

— C'est-à-dire ?

— Nous avons démantelé le réseau en revendant chaque établissement à sa municipalité d'origine avant que le gouvernement ait eu le temps de comprendre ce qui se passait. Sans cela, je croupirais peut-être en prison pour abus de biens sociaux…

— Mais… Quand tu as été embauché, personne n'a parlé de cette histoire ! Delvecchio était fier comme Artaban d'avoir réussi à recruter l'enfant prodige de New York !

— C'est vrai. Seule Marie Bernadette sait à quel point j'étais impliqué dans le scandale CareAmerica. Si elle n'était pas venue me voir à temps, j'aurais plongé avec les autres. Mais elle m'a offert de redresser les torts que j'avais causés, et j'ai accepté. C'est aussi simple que cela.

— Tu l'as suivie jusqu'ici pour lui prouver ta gratitude ?

— En partie, oui. J'ai beaucoup de respect pour elle. Et je voulais me montrer digne de la confiance qu'elle m'avait accordée. Bien sûr, j'aurais pu rester à New York : tout le monde me voulait, après cette histoire. Marie Bernadette m'avait fait passer pour un héros. J'étais celui qui avait rendu leur hôpital à des centaines de communautés rurales à travers le pays… J'aurais pu épouser un autre requin, avoir des bébés requins et continuer sur ma lancée. Mais je n'en avais plus envie. Je voulais essayer de me rendre utile, et le Rose Memorial me tendait les bras. Je n'ai pas hésité très longtemps, tu sais.

Elle leva les yeux vers lui, chercha son regard.

— Avant cela… as-tu vraiment failli épouser un autre requin ?

— Oui. Un requin encore plus requin que moi, d'ailleurs.

— Tu l'aimais ? reprit-elle, la gorge nouée.

— Je le pensais, oui. Mais je me trompais.

170

Il lui souleva le menton du bout des doigts.

— Je me trompais, répéta-t-il tout contre ses lèvres.

Il ponctua ses mots d'un baiser si tendre qu'elle en eut les larmes aux yeux.

— Dish ? Regarde-moi, intima-t-il, devinant son trouble. Que se passe-t-il ?

Elle avala sa dernière gorgée de cognac pour se donner une contenance.

L'alcool lui monta aussitôt à la tête, exacerbant ses émotions, ses sensations. Son désir.

— Rien… C'est juste que… je regrette d'avoir perdu tout ce temps, confessa-t-elle. Si seulement j'avais compris plus tôt, pour toi et moi…

Il la dévisagea avec intensité.

— Est-ce la mort de Phil qui t'a fait changer d'avis ?

Elle tressaillit, profondément troublée. Avait-il entendu sa conversation avec Beth ? Peut-être.

Mais sa question n'en était pas moins légitime. Il avait le droit de connaître les raisons qui la poussaient inexorablement vers lui.

— Ce n'est pas à cause de Phil, affirma-t-elle, le cœur battant. C'est à cause de moi. Et de toi. Je n'ai plus la force de résister, Brad. J'ai envie de toi. Maintenant.

Maintenant ?

Brad la dévisagea, interdit.

— Tu es sûre, Dish ? interrogea-t-il d'un ton anxieux.

Elle affronta son regard.

— Oui. J'en suis sûre.

Il lui prit son verre et le posa à côté du sien, puis, dans un silence presque solennel, il porta la main à sa nuque, glissa ses doigts dans ses cheveux… Enfin, n'y tenant plus, il l'attira contre lui et enfouit ses lèvres dans son cou avec un gémissement de désir.

— Dish...

Relevant la tête, il plongea les yeux dans les siens, comme pour quêter une dernière fois son approbation. Sa voix était rauque d'émotion.

— Il y a si longtemps que j'attends ce moment...

Il la prit dans ses bras et la serra longuement contre lui face au ciel étoilé. Puis il se plaça derrière elle, plaquant ses hanches contre les siennes dans un mouvement qui n'avait rien d'équivoque.

— Mais je veux que tu saches une chose, Jo : l'envie que j'ai de toi, cette envie-là, ajouta-t-il en se pressant plus fermement contre elle, n'est rien comparée à l'amour qui me fait battre le cœur.

Bouleversée, elle se laissa aller contre lui, ivre de désir et d'émotions mêlées. Elle ne doutait plus, à présent. Il avait su trouver les mots qu'elle brûlait d'entendre, les mots qui sauraient balayer ses incertitudes, ses impressions erronées, ses convictions ridicules. Il l'aimait comme elle avait toujours rêvé de l'être. D'un amour vibrant, profond, total. Durable et sans retenue.

— Crois-moi, Joanna, je t'en prie. J'ai tellement besoin que tu me croies...

— Je te crois.

S'emparant de sa main, elle la guida vers sa poitrine, là où son propre cœur battait d'un désir affolant.

— Aime-moi, Brad, supplia-t-elle d'une voix tremblante. Et laisse-moi t'aimer en retour.

Provocante, elle arqua le buste sous sa paume pour mieux s'offrir à sa caresse. Qui d'hésitante se fit tendre — quand il déposa un chapelet de baisers sur sa gorge frémissante —, puis plus entreprenante — quand il insinua ses doigts sous son chemisier pour les refermer sur la dentelle de son soutien-gorge. Elle se mordit la lèvre pour retenir le cri de plaisir qui lui

172

montait à la gorge. Depuis combien de temps rêvait-elle de cet instant sans oser l'admettre ? Des mois, sans doute. Déjà, son corps impatient criait grâce, un frisson délicieux la parcourait, prémices de l'extase à venir.

Déjà, elle perdait la notion du temps ; et lorsqu'il posa sa main libre sur son ventre, ce fut elle qui défit les boutons de son jean pour l'inviter à la caresser plus intimement. Du bout des doigts, il suivit l'ourlet de sa culotte, puis il l'écarta pour laisser ses doigts entrer en elle.

Alors, elle cessa de penser, de s'interroger. Arquant les reins, ouvrant légèrement les jambes, elle s'offrit à ses caresses, tremblante, frissonnante sous sa main. Une foule de sensations familières la submergea. Elle reconnut les gestes qui l'avaient ravie des mois plus tôt, pendant leur unique nuit d'amour.

Lorsque ses jambes fléchirent sous elle, il resserra son étreinte autour de sa taille. Lorsqu'elle renversa la tête en arrière, il se pencha sur elle, cueillant sur ses lèvres un baiser d'une intensité bouleversante. Puis, comme il s'enhardissait, envahissant avec douceur la moiteur de son intimité, elle se balança contre sa main, retrouvant instinctivement le rythme qui la mènerait à l'extase.

Son esprit s'emplit de visions érotiques, aussi fugitives que provocantes. Fébrile, elle accéléra le rythme de ses mouvements, se livrant tout entière au plaisir qui la consumait. Et lorsqu'il la fit tourner contre lui pour emprisonner la pointe d'un sein entre ses lèvres, surprise, elle ne résista plus. Et sombra dans l'abîme avec un cri de bonheur.

Brad la retint contre lui, lui caressant doucement les cheveux et le dos, attendant qu'elle reprenne son souffle. Puis, lorsque sa respiration se fut calmée, il la souleva dans ses bras et la déposa sur une des chaises longues, que les arbustes en fleurs abritaient du vent.

Là, il reprit sa bouche tout en faisant glisser adroitement son jean sur ses jambes. Elle l'aida à se débarrasser de ses propres vêtements, puis, une fois cette dernière barrière disparue, elle se lova avec délices contre sa peau nue, si ferme, si chaude...

«Maintenant, songea-t-elle confusément. Maintenant...»

Elle se cambra contre lui, cherchant son regard. Et lorsqu'elle l'eut trouvé, Brad se laissa lentement glisser en elle.

La nuit, alors, se fit plus douce ; la lune plus étincelante ; le lac plus paisible encore. Fermant les yeux, Joanna laissa courir ses mains le long du corps de son amant. Et tandis qu'elle fusionnait avec lui dans un plaisir partagé, elle comprit qu'elle avait enfin trouvé sa place. Oui, c'était bien là, entre ses bras, que se trouvait ce qu'elle cherchait depuis toujours.

Alors que Joanna sombrait lentement dans le sommeil, nichée contre son épaule, Brad se laissa gagner par une douce quiétude. En s'offrant à lui quelques minutes plus tôt, Joanna avait répondu au feu qui le consumait depuis des mois. Mais elle lui avait surtout ouvert son cœur — comblant ainsi son désir le plus cher.

Bien sûr, ce n'était qu'une étape : il lui faudrait encore du temps pour gagner totalement sa confiance, pour la convaincre qu'elle ne se méprenait pas sur les sentiments qu'ils se vouaient l'un à l'autre. Pour la persuader, aussi,

174

qu'elle n'était pas une femme de passage… mais celle qu'il avait attendue toute sa vie.

Il était prêt, pour cela, à donner du temps au temps. A l'aider à arrêter un assassin. Et à lui préparer des dizaines de biscuits au beurre de cacahuète.

11

Le lendemain matin, Brad accompagna Joanna au commissariat de police, où elle devait effectuer sa déposition. Les locaux étaient pratiquement déserts en cette fin de semaine et, comme elle s'y attendait, l'inspecteur Dibell n'était pas de service. Elle fut reçue par un de ses subalternes, un officier rougeaud à l'haleine nauséabonde qui répondait au nom de Sanger. Il l'escorta sans un mot jusqu'à la salle réservée aux interrogatoires, et lui fit signe de s'asseoir tandis qu'il prenait place derrière la petite table dressée au centre de la pièce. Puis il ouvrit son bloc-notes et appuya sur la touche « enregistrement » du gros magnétophone situé à sa gauche. Il déclina alors la date et l'heure, ainsi que leurs identités respectives, avant de spécifier le but de l'entretien :

— Vous êtes ici, à la requête de l'inspecteur Dibell, pour effectuer une déposition sur les événements qui ont précédé le meurtre du Dr Phil Stonehaven. C'est bien cela, docteur Cavendish ?

— Tout à fait.

Les formalités terminées, il lui posa une série de questions, très semblables à celles que Laverne Dibell lui avait soumises lorsqu'elle était arrivée sur les lieux du crime : quand avait-elle vu Phil pour la dernière fois ? A quelle heure lui avait-il téléphoné ? Combien de temps avait duré leur conversation ? Lui avait-il paru inquiet ? Fatigué ? Angoissé ? Avait-il remarqué que la porte menant dans la cuisine de Marie Bernadette était ouverte ?

Joanna s'efforça de répondre le plus simplement, le plus clairement possible. Mais à mesure que l'interrogatoire progressait, elle s'aperçut qu'elle n'avait que peu d'informations sur les conditions dans lesquelles se trouvait Phil lorsqu'il lui avait téléphoné.

— Il n'a fait aucune remarque particulière sur la porte de la cuisine, affirma-t-elle après réflexion. Il était totalement absorbé par notre conversation. Si une bombe avait explosé dans les étages supérieurs, je ne suis même pas sûre qu'il l'aurait entendue !

— Quel était l'objet de son appel ? demanda Sanger.

— Il voulait me faire connaître son opinion sur le rapport d'autopsie du Dr Ruth Brungart, dont il venait d'achever la lecture. D'après lui, ce rapport était incomplet, voire inexact. Il était parvenu à la conclusion que notre patient, le Dr Elliott Vine, était mort d'un collapsus circulatoire, provoqué par une grave infection sanguine.

— Diriez-vous que le Dr Stonehaven était absorbé par votre conversation au point de ne pas prêter attention à ce qui se passait autour de lui ?

Elle s'appuya contre le dossier de sa chaise en s'efforçant de retenir le soupir de frustration qui lui montait à la gorge. Cet homme, pas plus que l'inspecteur Dibell, n'était enclin à admettre que les découvertes de Phil l'avaient mis en danger. Brad avait raison : rien de ce qu'elle pourrait dire à la police ne modifierait d'un iota les conclusions auxquelles Dibell et son équipe étaient parvenues. Des conclusions logiques, efficaces : Phil Stonehaven avait été assassiné par un sans-abri — et l'histoire s'arrêtait là. Le fait qu'elle, Joanna Cavendish, était persuadée que son ami avait découvert une erreur dans le rapport d'autopsie du Dr Brungart n'intéressait ni Dibell ni Sanger. A quoi bon, dans ces conditions, chercher à les convaincre ?

— Avez-vous d'autres détails en tête, docteur Cavendish ? reprit l'officier. Un bruit qui aurait retenu votre attention pendant la conversation, par exemple ?

Elle marqua un silence, tentant de se remémorer la scène le plus nettement possible.

— Oui, dit-elle finalement. Je me souviens que Phil pianotait sur le clavier de son ordinateur. J'entendais le cliquetis des touches... Il consultait sans doute les résultats des analyses d'Elliott Vine tout en me parlant.

Elle s'en souvenait parfaitement, à présent : Phil avait écarté l'hypothèse d'une septicémie en affirmant que le taux de globules blancs de Vine avait baissé au cours de l'intervention. Pour arriver à une telle conclusion il avait nécessairement eu les résultats des analyses sanguines d'Elliott sous les yeux — ou plutôt, à l'écran de son ordinateur.

— Ensuite, poursuivit-elle, j'ai entendu sa chaise racler le sol, comme s'il se rapprochait brusquement de l'écran. Puis il a lâché un juron, quelque chose comme « bon sang ! », et mis fin à notre conversation en me faisant promettre de le rappeler le lendemain matin.

— Sur le moment, avez-vous eu l'impression que son attitude était liée à ce qu'il voyait à l'écran ou à ce qui se passait autour de lui ?

Elle baissa les yeux, troublée. Difficile de répondre avec certitude. Phil avait pianoté sur son ordinateur pendant toute la durée de leur conversation. Il n'était donc pas exclu qu'il ait été surpris par une des informations qui apparaissaient à l'écran — tellement surpris qu'il avait préféré raccrocher pour y réfléchir en toute tranquillité.

— Je n'y ai pas pensé sur le moment, observa-t-elle, mais je suis pratiquement certaine que personne n'est entré dans son bureau à ce moment-là. Et qu'il était toujours seul lorsqu'il a raccroché.

— Vous pensez donc qu'il a raccroché pour reporter toute son attention sur ce qu'il lisait à l'écran ?

— Oui.

Quelle information avait pu pousser Phil à mettre abruptement fin à leur conversation ?

— … et qu'étant absorbé par sa lecture il n'a pas entendu son agresseur arriver derrière lui ? poursuivit Sanger d'un ton insistant.

Elle sentit sa gorge se nouer. Et brida une fois de plus la colère qui menaçait de la submerger.

— Oui, c'est possible, admit-elle à contrecœur.

— Bien. Avez-vous autre chose à ajouter ?

Elle secoua la tête. Son interlocuteur acquiesça d'un air satisfait, et se leva après avoir consulté sa montre.

— Je vous remercie, docteur Cavendish. Nous avons terminé. Si vous voulez bien me suivre…

D'un geste, il désigna la porte. Elle se leva à son tour et le suivit jusqu'aux salles d'attente du rez-de-chaussée, où Brad les attendait. Il s'approcha d'eux, la main tendue, et se présenta à Sanger, qui le gratifia d'un clin d'œil entendu.

— Laissez tomber les présentations, monsieur MacPherson. J'ai assez vu votre trombine à la télé ces derniers temps pour savoir qui vous êtes !

L'intéressé laissa échapper un soupir de lassitude.

— Les médias aiment les affaires comme la nôtre, vous le savez sans doute aussi bien que moi… A part ça, avez-vous du nouveau ?

— Non. Mais je vous promets que vous serez les premiers prévenus si nous mettons la main sur un suspect.

— Sanger ! appela le réceptionniste d'une voix stridente. Un appel pour toi, sur la quatre.

— J'arrive, marmonna-t-il.

Pressée d'en finir, Joanna prit congé, et l'officier tourna lourdement les talons.

Une fois dehors, elle raconta brièvement à Brad l'entretien qui venait de se dérouler, avant d'attirer son attention sur la question qui avait suscité son trouble : pour quelle raison Phil avait-il brusquement mis fin à leur conversation téléphonique ?

— Je suis persuadée que nous tenons là la clé du mystère, enchaîna-t-elle. Crois-tu que le service informatique de l'hôpital soit capable de nous dire avec précision sur quoi Phil travaillait quand il m'a appelée ?

— Trois jours après les faits ? Franchement, ça m'étonnerait, mais nous pouvons toujours le leur demander.

Il ouvrit la porte passager de sa voiture et attendit qu'elle se soit installée pour faire le tour du véhicule et prendre place derrière le volant.

— D'autant que Chip s'est déjà intéressé au sujet, reprit-il en mettant le contact. Rappelle-toi : quand Dibell l'a interrogé sur ses activités la nuit du crime, il a déclaré qu'il travaillait sur le serveur informatique de l'hôpital.

— C'est vrai, acquiesça-t-elle pensivement, tandis que Brad s'insérait dans le flot de la circulation matinale. Il savait que Phil s'était connecté sur le réseau pour consulter le rapport d'autopsie d'Elliott. Et il voulait avoir son avis sur le sujet... C'est d'ailleurs pour cela qu'il s'était rendu dans le bureau de Phil, non ?

— C'est ce qu'il a dit à l'inspecteur, en tout cas. Mais il a aussi affirmé qu'il ne l'a pas trouvé dans son bureau. Où était Phil, à ton avis ? Parti se dégourdir les jambes ?

— Je ne pense pas. Il n'aurait jamais laissé son ordinateur allumé sans surveillance : n'importe qui aurait pu avoir accès à ses dossiers en son absence.

— Très juste. De toute façon, il était au téléphone avec toi… et si j'ai bien compris, il était si absorbé par son travail qu'il n'aurait pas quitté son bureau, même un instant, après avoir raccroché !

Elle réfléchit un moment, avant d'observer :

— Dans ce cas, Chip nous a menti : Phil *était* dans son bureau quand il est venu le trouver. Crois-tu qu'il savait ce que Phil avait découvert ?

— Ce n'est pas exclu, répondit Brad en s'arrêtant à un feu rouge. Rien n'empêchait Chip de paramétrer le serveur de manière à être alerté chaque fois que Phil accédait à une page du rapport en ligne. C'est son métier, et il est assez doué pour ce genre de choses…

— Il aurait donc espionné Phil par ordinateurs interposés ?

— En quelque sorte, oui.

L'hypothèse était plausible, mais Joanna ne parvenait pas à s'en convaincre. Car Chip n'était pas médecin : même s'il pouvait lire les informations que Phil faisait défiler à l'écran, il ne pouvait les *comprendre*.

— Nous faisons peut-être fausse route, remarqua-t-elle avec dépit. Qui nous dit que Chip a effectivement espionné Phil toute la soirée avant d'aller le trouver ? Il a peut-être simplement découvert par hasard que Phil s'était connecté au rapport d'autopsie, et il a décidé d'aller le voir pour lui demander ce qu'il en pensait… C'est son père qui est mort, après tout ! Il avait le droit de savoir…

Brad esquissa une grimace.

— Certes, mais dans un cas comme dans l'autre, nous en arrivons à la même conclusion : Chip a suivi le travail

181

de Phil en temps réel. Il sait donc exactement quelle page du rapport a retenu son attention.

D'un commun accord, ils décidèrent immédiatement de se rendre au Rose Memorial. Même s'il était peu probable qu'un responsable informatique s'y trouve un samedi, ils ne perdraient rien à tenter leur chance.

Pour la première fois depuis la mort d'Elliott Vine, la chance leur sourit. Lauren Bristol, la supérieure directe de Chip, était dans son bureau. Ou plutôt, elle disparaissait sous les listings informatiques, les papiers froissés, les barquettes de salade vides et les bouteilles d'eau gazeuse qui encombraient son bureau. Elle leva la tête à leur approche, et leur offrit un sourire fatigué.

— Bonjour, Brad docteur Cavendish... Bienvenue dans les tranchées ! ironisa-t-elle. Asseyez-vous, je vous en prie. Que puis-je faire pour vous ?

— Bonjour, Lauren, répliqua-t-il en prenant place près de Joanna, dans un des fauteuils élimés qui faisaient face au bureau de leur interlocutrice. Nous sommes vraiment heureux de trouver... Nous avons besoin de ton aide — en toute discrétion, bien sûr.

La jeune femme tira une cigarette d'un paquet à moitié vide, avant de répondre :

— Je t'écoute.

— Il s'agit d'une question, en fait : Chip Vine a déclaré à la police qu'il est resté à l'hôpital dans la soirée qui a suivi le décès de son père, parce qu'il attendait les résultats de l'autopsie. Peux-tu nous le confirmer ?

— Pas avec certitude. Ça remonte à quand ? Mercredi soir ?

Comme Joanna lui confirmait la date de l'opération, Lauren renchérit :

— C'est ce que je pensais. Je suis partie plus tôt ce jour-là : je joue au hockey dans un club du quartier. J'ai dû quitter mon bureau vers 16 heures, comme d'habitude... Chip était encore là, mais je n'ai aucune idée de ce qu'il a fait par la suite. Je peux vérifier qui était de garde en salle informatique ce soir-là, si cela peut vous être utile.

— Volontiers, acquiesça Brad.

La cigarette coincée au coin des lèvres, Lauren transmit aussitôt la requête à son assistant, qui promit de lui apporter les plannings de la semaine dans la demi-heure suivante.

— Parfait, déclara-t-elle en reposant le combiné téléphonique. Avez-vous d'autres questions à me poser ?

— Oui. Est-il possible de déterminer la date et l'heure de la dernière connexion de Chip sur le serveur ? interrogea Joanna.

Un froncement de sourcils accueillit son propos.

— Techniquement, rien ne m'empêche de le savoir, répondit-elle. Mais c'est une information à usage interne, que je ne devrais pas vous communiquer... Que cherchez-vous, au juste ?

Joanna échangea un bref regard avec Brad, qui l'incita à poursuivre.

— Lorsqu'il a été interrogé par l'inspecteur chargé de l'enquête sur le meurtre de Phil Stonehaven, Chip a affirmé avoir passé la soirée à travailler sur le serveur, expliqua-t-elle. Il aurait alors « remarqué » que Phil s'était connecté au rapport d'autopsie de son père...

— Vraiment ? interrompit Lauren avec irritation. Si c'est le cas, il entendra parler de moi. Il sait pertinemment qu'il n'a pas le droit d'accéder au dossier des patients — et le fait qu'il s'agisse de son propre père ne change rien au règlement !

Elle posa sa cigarette entamée sur le rebord d'un minuscule cendrier en terre cuite.

— Je ne suis pas naïve, poursuivit-elle d'un ton las. Chip, comme ses collègues, a potentiellement accès à tout ce qui circule sur le serveur, et je me doute bien qu'ils en abusent de temps à autre. Mais je n'aime pas ça. Pour en revenir à vous... je ne suis pas certaine de comprendre le sens de votre question.

Brad se pencha vers elle.

— Nous aimerions savoir si Chip a remarqué *par hasard* que le Dr Stonehaven s'était connecté au rapport d'autopsie en ligne, ou s'il a *délibérément* cherché à l'espionner en scrutant ses mouvements sur le serveur.

— Cela fait-il une grande différence ?

Il hocha la tête.

— Pour nous, oui. Qu'il ait rôdé dans les couloirs pour tenter d'en savoir plus sur la mort de son père n'a rien de répréhensible. Mais s'il s'avère qu'il a paramétré le serveur de manière à être averti dès que le Dr Stonehaven consulterait le rapport d'autopsie... là, ça pose problème, tu comprends ?

Son interlocutrice opina avec gravité. Depuis des années, elle mettait un point d'honneur à faire respecter les règles de confidentialité informatique au sein de l'hôpital — avec un succès mitigé, il fallait bien l'admettre. Comment, en effet, garantir l'inviolabilité d'un système ouvert à tant d'utilisateurs ?

— Si Chip a attendu que Phil se connecte au rapport d'autopsie, je comprends que vous vous interrogiez, confia-t-elle. Cela revient à tendre un piège sur le serveur... Mais comment en avoir la certitude ? Attendez un peu...

Elle fit pivoter l'écran de son ordinateur et lança plusieurs commandes successives, qui aboutirent quelques secondes plus tard : le logiciel lui fournit l'historique des cinq dernières connexions de Chip Vine sur le réseau. Lauren, manifestement satisfaite, orienta l'écran vers Brad et Joanna pour qu'ils puissent lire les informations à leur aise.

— Voilà, indiqua-t-elle en pointant le doigt vers une ligne de chiffres. Chip s'est connecté pour la dernière fois à 19 h 57, mercredi soir. Cela répond-il à votre question ?

Dépitée, Joanna secoua la tête.

— Non. Cela ne correspond même pas à la déposition que Chip a faite à la police. Les événements auxquels nous pensons se sont déroulés beaucoup plus tard dans la soirée.

— Vous en êtes certains ?

— D'après nos déductions, Phil Stonehaven s'est connecté sur le rapport d'autopsie vers 22 h 30, intervint Brad. Mais tu peux sans doute le vérifier par toi-même…

Lauren lança aussitôt la requête, et obtint rapidement la confirmation voulue : Phil s'était effectivement reconnecté au serveur à 22 h 32 la nuit de sa mort.

— Dans ce cas, il n'y a qu'une explication possible, observa Lauren en se rembrunissant. Chip n'a pas utilisé son code personnel lorsqu'il s'est branché sur le serveur pour observer les mouvements de Phil.

— Est-ce possible ?

— Bien sûr. Il lui suffisait d'utiliser le code d'accès de n'importe quel autre membre du service informatique… Ce qui constitue une autre infraction grave au règlement. Je vais lancer une vérification, mais cela risque de me prendre plusieurs jours. Pouvez-vous attendre ?

— Je suppose que oui…, marmonna Joanna, troublée par ce qu'ils venaient de découvrir. Sincèrement, Lauren : penses-tu que Chip a agi de façon normale ?

La responsable informatique tira une autre cigarette du paquet, avant de répondre :

— Difficile à dire… Pour l'instant, rien ne prouve qu'il ait agi avec préméditation. Il travaillait peut-être en toute innocence sur le serveur, en utilisant le code d'un collègue. Mais vu ce qui s'était passé dans la matinée, j'en doute fort. Il venait de perdre son père et, franchement, il n'était pas dans son état normal… Il était agité depuis plusieurs jours, d'ailleurs. Je veux bien fermer les yeux sur son manque d'assiduité, mais s'il s'avère qu'il a enfreint le règlement pour espionner le Dr Stonehaven, je serai inflexible, vous pouvez me croire.

Joanna lui adressa un sourire de sympathie. Travailler avec Chip Vine n'était certainement pas de tout repos !

— Une dernière question, reprit-elle. As-tu les moyens de savoir quelles pages du rapport Phil a consultées avant de mourir ?

— Non. Le mieux que je puisse faire, c'est de vous remettre une copie intégrale du dossier médical d'Elliott Vine. Si cela vous est utile, naturellement.

— Pourquoi pas ? acquiesça Brad. Au point où nous en sommes, toute information est bonne à prendre… Dis-moi : vois-tu un inconvénient à ce que nous mentionnions notre discussion à Chip ?

— Aucun, affirma Lauren. Si toutefois vous arrivez à lui mettre la main dessus… J'ai appelé chez lui une bonne dizaine de fois hier — sans aucun succès.

Brad et Joanna la quittèrent quelques minutes plus tard, armés d'un exemplaire du dossier médical d'Elliott Vine : tout y était noté, depuis les entretiens et les analyses qu'il avait subis avant l'opération, jusqu'aux résultats de l'autopsie, en passant par le déroulement, minute par minute, de l'intervention qui lui avait été fatale.

« Autant chercher une aiguille dans une meule de foin... », songea Joanna avec découragement en coinçant la cinquantaine de pages sous son bras. Comment repérer, parmi l'avalanche de données médicales qu'elles contenaient, le détail qui avait attiré l'attention de Phil ? Et surtout, comment savoir si ce même détail avait déclenché la fureur meurtrière de Chip Vine ?

Installée à côté de Brad dans la Bronco qui les ramenait chez lui, Joanna feuilletait le dossier médical d'Elliott, ligne à ligne, graphique par graphique, attentive au moindre détail...

Si attentive qu'elle fut surprise, en entendant le moteur arrêter, de constater que Brad venait de se garer sur le parking d'un supermarché.

— Que faisons-nous ici ? interrogea-t-elle, perplexe.

— Mes placards sont vides, Dish. Mon frigo aussi. Et puis..., ajouta-t-il en esquissant un sourire coquin, j'ai l'intention de vaincre tes dernières résistances en te soumettant à la tentation.

— Hmm..., minauda-t-elle en lui rendant son sourire. Laquelle ?

— La pire : une vingtaine de biscuits au beurre de cacahuète concoctés amoureusement par ton serviteur. Crois-tu pouvoir y résister ?

Elle éclata de rire.

— Certainement pas. Ta victoire est assurée, mon cher !

Ils sortirent de la voiture et se dirigèrent vers l'entrée du magasin.

— Pour ce qui est de ma victoire…, reprit-il en l'enlaçant tendrement par la taille, sache que je ne désarmerai pas avant ta reddition totale. Et quand je dis totale…

Il la couva d'un regard ouvertement sensuel, qui ne laissait aucun doute sur ses intentions à venir. Amusée, elle se laissa gagner par son humeur frivole. Bien sûr, il aurait été *sage* de consacrer l'après-midi à la lecture du dossier médical d'Elliott Vine, mais… ne serait-il pas plus agréable de se lover dans les bras de Brad ? D'oublier les soucis qui les accablaient en s'abandonnant, pour quelques heures, à leurs désirs les plus fous ?

Sa décision fut vite prise. Saisissant un chariot à provisions, elle s'engagea rapidement dans l'allée centrale du supermarché, Brad sur ses talons.

— En nous dépêchant, crois-tu que nous pouvons être sortis d'ici dans dix minutes ? interrogea-t-elle d'une voix espiègle.

— Dix minutes ? C'est déjà trop pour moi, Dish. Je ne survivrai pas jusque-là, affirma-t-il en promenant un regard caressant sur son décolleté.

Elle éclata de rire. Qu'il était bon de flirter ainsi avec lui !

— A situation d'exception, mesures d'exception, conclut-elle. Dépêchons-nous !

Hilares, ils remplirent le chariot en un temps record, et émergèrent sur le parking sept minutes plus tard. Il leur en fallut dix pour rejoindre l'appartement de Brad… et moins d'une pour tomber, à moitié nus, sur le lit encore défait.

Les biscuits au beurre de cacahuète attendirent jusqu'au soir : lorsque Brad se résolut à quitter la chambre pour rejoindre la cuisine, l'après-midi touchait à sa fin. Affamé, il proposa à Joanna de faire griller la magnifique entrecôte qu'ils avaient achetée quelques heures plus tôt, ce qu'elle accepta avec enthousiasme. Ils se douchèrent, puis dînèrent sur la terrasse, face au coucher de soleil qui embrasait le lac Michigan. Puis, Joanna s'installa confortablement sur le canapé du salon, le dossier médical d'Elliott Vine en main, tandis que Brad débarrassait la table. Lorsque tout fut rangé, il s'attaqua enfin à la confection des biscuits qui sortirent du four, dorés et croustillants, aux alentours de 22 heures.

Au même moment, à trente-sept blocs de là, deux sans-abri, habitués de la soupe populaire de sœur Marie Bernadette, se disputaient âprement la possession d'une montre en argent et d'une poignée de cartes de crédit au nom de Philip Dean Stonehaven. Le plus costaud des deux finit par l'emporter, et s'enfuit en laissant son adversaire rouler, inconscient, dans le caniveau. Alertée par un passant, la police du quartier envoya deux officiers en reconnaissance… qui ne purent que recueillir le dernier souffle du blessé. Il ne leur fallut pas plus d'une heure pour retrouver le fuyard qui l'avait tué et l'emmener, menottes aux poignets, au commissariat central.

L'inspecteur Dibell transmit la nouvelle à Brad et Joanna vers une heure du matin. Ce fut Brad qui décrocha, mais il enclencha aussitôt le haut-parleur de l'appareil afin que Joanna puisse suivre la conversation. Encore ensommeillée, elle écouta le récit de l'inspecteur avec une anxiété croissante. L'arrestation du suspect — un grand gaillard aviné surnommé « Jimmy la castagne » — allait évidemment dans le sens des conclusions de Laverne Dibell. D'autant que le gaillard en question n'avait pas manqué de désigner le type qu'il venait de dévaliser, un certain Joe Denver, comme le responsable du meurtre de Phil. A l'entendre, il n'avait fait, lui, que tenter de subtiliser le butin que Denver avait soutiré à Phil après l'avoir tué, trois jours plus tôt.

De toute évidence, avait souligné Dibell, Jimmy la castagne mentait : Joe Denver, malingre et usé par l'alcool, n'était ni assez grand ni assez fort pour soulever le microscope de Phil et l'abattre violemment sur sa tête. En revanche, rien ne l'empêchait d'avoir détroussé le véritable meurtrier quelques heures après les faits…

L'essentiel, avait conclu l'inspecteur avant de raccrocher, était que l'enquête progressait — et progressait vite. Le fait que les cartes de crédit et la montre de Phil avaient été retrouvées en possession de clochards habitués de la soupe populaire du Rose Memorial prouvait que son équipe était sur la bonne voie. Dans quelques jours au plus tard, le coupable serait derrière les barreaux…

La gorge nouée, Joanna se blottit contre l'épaule de Brad. Elle sentait que l'inspecteur se berçait d'illusions… ou, pire encore, qu'elle s'apprêtait à commettre une grave erreur judiciaire. Car Phil n'avait pas été assassiné par un sans-abri, elle n'en démordait pas.

Tant que Tavish McCarter ne lui aurait pas affirmé, preuves à l'appui, qu'Elliott Vine était bien mort d'un accident cardiaque, elle ne laisserait personne la faire changer d'avis.

Et surtout pas un inspecteur de police trop pressé de boucler son dossier.

Le bureau de Tavish McCarter était situé au bout d'un long couloir encombré de bocaux de toutes sortes, de chariots métalliques et d'étagères de classement remplies de dossiers jaunis par le temps. Comme dans les laboratoires d'anatomopathologie de l'hôpital, une forte odeur d'éther et de formol imprégnait les lieux — mais Joanna n'y accorda aucune importance : l'entretien à venir mobilisait toute son attention.

Le Dr McCarter s'avança à leur approche.

— Docteur Cavendish ? s'enquit-il en tendant la main, un sourire courtois aux lèvres.

De petite taille, les tempes dégarnies, il arborait des lunettes cerclées de métal qui semblaient s'accrocher désespérément à son nez pour ne pas tomber.

— C'est moi, dit-elle en lui serrant la main. Et voici Brad MacPherson, le directeur de la communication du Rose Memorial.

— Bonjour, docteur. J'espère que vous ne m'en voudrez pas de mon intrusion, observa Brad avec son aisance habituelle. Les événements des derniers jours ont été très préjudiciables à l'image de l'hôpital, et je tenais à accompagner le Dr Cavendish aujourd'hui pour tenter d'y voir plus clair.

Leur hôte haussa les épaules.

— Si ça peut vous faire plaisir…, bougonna-t-il. Mais je ne vois pas en quoi je pourrais vous aider à résoudre vos problèmes d'image !

Il les précéda dans son bureau, une grande pièce baignée de soleil matinal. Là, ils prirent place sur un banc encombré de publications scientifiques, tandis que McCarter se laissait tomber dans un vaste fauteuil, derrière sa table de travail.

— D'après Beth, commença-t-il en se tournant vers Joanna, vous êtes convaincue que les prélèvements que Phil examinait au moment de sa mort ont une importance cruciale pour l'enquête.

— Tout à fait. Il s'agissait principalement de prélèvements effectués sur le corps d'Elliott Vine, n'est-ce pas ?

Un sourire désolé étira les lèvres de son interlocuteur.

191

— Justement… Une partie du problème est là. Les prélèvements qui m'ont été envoyés par la police sont presque tous dans un état déplorable : la plupart n'ont plus de numéro de dossier, et les lamelles de verre qui les protègent ont été brisées. Sur le lot entier, seules trois lamelles sont intactes et portent le numéro de dossier d'Elliott Vine. J'ai pu en reconstituer quelques autres… mais le reste a été réduit en miettes. A croire qu'on les a piétinées pour les rendre illisibles !

— Elles ont peut-être été brisées pendant la lutte qui a précédé la mort de Phil ? observa Brad.

— Quelle lutte ? rétorqua le médecin d'un ton désabusé. Phil a été violemment assommé avec son propre microscope… Vu le poids de l'objet, je suis quasiment certain qu'il est mort sur le coup. Et que l'assassin a pris le temps de piétiner les lamelles pour rendre leur identification impossible. Il a sacrément bien réussi, d'ailleurs…

— Ça semble logique, en effet, concéda Brad. Si le meurtrier s'est donné la peine de tuer Phil pour s'assurer de son silence, il est normal qu'il ait également détruit les prélèvements qui pouvaient l'incriminer.

— Un vagabond n'aurait jamais fait une chose pareille : les prélèvements n'auraient même pas attiré son attention ! s'exclama Joanna, le cœur battant. Le simple fait que les lamelles ont été détruites et leur numéro de dossier arraché prouve que nous n'avons pas affaire à un SDF…

— Tout à fait d'accord, renchérit McCarter. Phil n'a pu être tué que par quelqu'un qui s'intéressait à ces prélèvements — et à leur contenu.

— A ce propos, reprit Joanna, j'ai moi-même parlé avec Phil peu de temps avant sa mort. Il m'a téléphoné pour me faire part de son opinion sur le décès d'Elliott Vine. J'ai eu le sentiment qu'il ne croyait pas à la thèse de l'arrêt cardiaque…

— Il avait raison, coupa Tavish McCarter d'un ton catégorique. Elliott Vine est mort d'un choc anaphylactique.

Joanna écarquilla les yeux, stupéfaite.

— Un choc anaphylactique ? répéta Brad, l'air ébahi. De quoi s'agit-il ?

— C'est une réaction allergique d'une extrême violence, murmura Joanna. J'aurais dû y penser plus tôt… quand Phil m'a parlé de collapsus circulatoire ! Les deux événements sont liés, n'est-ce pas, docteur ?

— A bien des égards, oui. Mais un collapsus circulatoire peut également entraîner la mort par arrêt cardiaque. Phil était très près de la vérité, manifestement.

— Attendez un peu, intervint Brad en fronçant les sourcils. Je ne comprends pas bien… Si la mort par arrêt cardiaque n'est pas à exclure, comment pouvez-vous affirmer avec certitude qu'Elliott Vine est mort d'un choc allergique ?

Tavish McCarter tendit la main vers sa pipe, posée au coin d'un profond cendrier de verre dépoli.

— Simple question d'expérience, monsieur McPherson, répliqua-t-il en allumant le tabac refroidi à la flamme d'une allumette. Un choc anaphylactique laisse des traces de son passage… et je ne serais pas un bon médecin légiste si je n'étais pas capable de les repérer. Je suis certain que Phil serait parvenu à la même conclusion que moi s'il en avait eu le temps. Ces traces sont très légères, voyez-vous… Pratiquement indécelables. Mais elles apparaissaient dans les prélèvements de M. Vine, je vous le garantis.

— Avez-vous détecté des cas similaires par le passé ? interrogea Brad.

Tavish McCarter hocha la tête.

— Oui. Le premier, il y a une dizaine d'années de cela, avait été causé par un insecte, quand je travaillais pour l'Organisation mondiale de la santé dans le Sud-Est asiatique. Le second, plus récent, était dû à une allergie médicamenteuse. La victime avait ingéré un antibiotique sans savoir qu'il contenait un dérivé de la pénicilline, à laquelle elle était allergique.

Brad se tourna vers Joanna.

— Sais-tu si Vine était allergique à la pénicilline ?

— Oui, il l'était. Mais il n'a reçu aucun antibiotique pendant l'intervention. Nous ne les administrons aux patients qu'en cas d'infection postopératoire.

— Dans ce cas, reprit Brad à l'adresse du médecin légiste, comment expliquez-vous cette réaction allergique ? Quel produit aurait pu causer la mort de Vine, selon vous ?

Tavish McCarter tira une bouffée sur sa pipe, avant de répliquer, un sourire las aux lèvres :

— Demandez donc au Dr Cavendish. C'est elle qui a anesthésié et transfusé votre patient, pas moi.

12.

Joanna sortit de l'institut médico-légal en titubant, persuadée d'avoir été prise au piège. D'être tombée dans une toile tissée par d'autres, dont elle ne pourrait s'échapper.

La mort d'Elliott Vine avait été causée par une substance qui lui avait été administrée pendant l'opération. *Par transfusion.*

Cette pensée la bouleversait. Son cœur battait la chamade ; elle avait la gorge nouée. Comment aurait-elle pu commettre une telle erreur ? C'était impossible !

Sans doute avait-elle accéléré le pas car Brad, qui cheminait à son côté, la retint d'un geste :

— Joanna, attends.

Elle s'arrêta le long du trottoir, fixant d'un œil hagard la main qu'il avait posée sur son bras. Il la regardait comme si elle avait perdu la tête. Et peut-être était-ce le cas, songeait-elle avec désespoir. Car il fallait avoir perdu la tête pour tuer un patient pendant une transfusion !

Tendu, les dents serrées, il l'entraîna jusqu'à sa Bronco et l'assit d'autorité sur le siège passager.

— Boucle ta ceinture.

Toujours hébétée, elle s'exécuta sans broncher.

Il restait moins d'une heure avant la cérémonie d'enterrement de Phil à la chapelle de l'hôpital. Brad se gara aux abords d'un jardin public et entraîna Joanna vers un banc vide. Une nuée de pigeons s'envola à leur approche.

Il prit place à côté d'elle.

— Je t'écoute. Dis-moi ce qui ne va pas.

Elle secoua la tête.

— Je ne sais même pas par où commencer ! Le Dr McCarter a été relativement clair : Elliott est mort des suites de la transfusion qui lui a été administrée au bloc. Ce qui me rend responsable... Rabern a peut-être raison depuis le début, finalement ? Peut-être suis-je trop orgueilleuse pour admettre que j'ai commis une erreur ?

— Trop orgueilleuse ? Tu as vérifié ton matériel une bonne douzaine de fois. Tu as contrôlé et recontrôlé tes poches de sang. Le choc n'est survenu qu'à la fin de l'opération, alors que tu avais déjà amorcé l'inversion de l'anesthésie... Explique-moi où, à quel moment, tu aurais pu administrer un produit mortel à ce pauvre Vine ?

Elle n'en savait rien, mais les reproches de Brad produisirent l'effet désiré : l'apaiser suffisamment pour lui permettre de réfléchir posément. Elle avait réagi de manière excessive, bien sûr... mais les révélations du Dr McCarter lui avaient fait l'effet d'un coup en plein cœur. Ainsi, Phil était bien sur le point de découvrir la vérité : le décès de Vine découlait effectivement d'un choc anaphylactique provoqué par une substance étrangère.

Autrement dit, elle avait été l'instrument involontaire d'un sabotage intentionnel.

— Je suis désolée.

Elle se laissa aller contre le dossier du banc avec un soupir de lassitude.

— Je n'aurais pas dû me laisser démonter.

— Comment aurais-tu pu réagir autrement ? J'ai été choqué, moi aussi...

Il lui prit tendrement la main et entremêla ses doigts aux siens, paume contre paume. Une brise légère fit tournoyer les feuilles rouge et or des platanes alentour, qui vinrent se déposer à leurs pieds dans un bruissement d'ailes. Levant les yeux, Joanna vit un avion de papier piquer dangereusement sur eux...

Surprise, elle baissa la tête pour l'éviter. La fillette qui l'avait lancé éclata de rire — un rire si gai, si communicatif que Joanna l'imita de bon cœur, enfin libérée des tensions qui la paralysaient.

— Allons, reprit-elle d'un air espiègle. Ce n'est pas si terrible que ça.

— C'est pire, assura-t-il solennellement en la dévorant du regard. Mais je me console en interprétant tes accès de déraison comme autant de preuves que tu es en train de t'éprendre de moi — à la folie, naturellement.

Un délicieux picotement lui parcourut la nuque, ses dernières craintes se dissipèrent... Et lorsque Brad lui caressa doucement la main, ses résistances fondirent comme neige au soleil.

— Ce doit être ça.

Elle frissonna, malgré la douceur du soleil matinal sur ses épaules.

— Il est temps d'y aller.

Il leva la tête pour admirer un vol d'oies sauvages, puis replongea ses yeux dans les siens.

— J'aimerais avoir ta parole, affirma-t-il avec gravité. Promets-moi que, quand tout sera fini, tu ne chercheras pas l'issue de secours la plus proche.

Elle baissa les yeux, la gorge nouée. Elle l'aimait plus qu'elle n'osait se l'avouer.

— Ecoute, je ne suis pas particulièrement fière de la manière dont j'ai saboté notre histoire au printemps dernier.

C'était lâche, et j'avais tort. La mort de Phil, le deuil de Beth m'ont fait comprendre que la vie est trop courte pour la laisser filer par excès de prudence. Mais dans les circonstances actuelles, poursuivit-elle en sentant les larmes affluer à ses paupières, j'ignore si je peux me fier à mes propres sentiments. Je ne suis pas sûre d'être follement éprise de toi. Je ne sais pas comment assumer tout ce qui nous arrive… Parfois j'ai l'impression que je sais, et puis soudain, je suis perdue.

— Tu réfléchis trop, Dish. Tout ce que je te demande, poursuivit-il d'une voix impérieuse, c'est de laisser ton cœur et ta jolie tête de mule nous donner une chance. Tu veux bien ?

— D'accord, concéda-t-elle dans un soupir.

En répondant ainsi, elle s'engageait sur une route difficile. Car elle ne connaissait qu'une façon de vivre : seule. Sans faire confiance à personne — et surtout pas à un homme. Mais les propos de Beth la brûlaient encore. Elle lui avait fait comprendre à quel point la solitude pouvait être triste et désespérante.

Après la cérémonie funèbre en l'honneur de Phil, la nourrice emmena les enfants chez elle, où ils resteraient jusqu'au lendemain. Une cinquantaine de personnes, proches amis ou simples connaissances, se présentèrent chez Beth, les bras chargés de gâteaux, de fleurs ou de cartes de condoléances.

Bâtie à la fin du dix-neuvième siècle, la résidence des Stonehaven était une belle demeure aux tons jaune pastel conçue pour accueillir de grandes assemblées : de part et d'autre du grand vestibule, d'immenses portes d'acajou ouvraient sur la bibliothèque et le vaste salon, où Joanna demeura aux côtés de Beth pour accueillir les invités.

Colin Rennslaer et Erin Harper, qui se marieraient en novembre à la chapelle de l'hôpital, arrivèrent quelques instants après sœur Marie Bernadette. L'amour qui les unissait était si tangible que, profondément émue, Beth manqua de s'effondrer dans les bras de Colin.

Les yeux embués elle aussi, Joanna se surprit à trouver en Brad les qualités de Colin et de Phil réunis : s'il avait la délicatesse et la détermination du premier, il tenait de Phil pour son charisme et son humanité indéfectible.

A moins que… N'était-ce qu'un leurre ? Une illusion de son cœur troublé ? Quelques mois auparavant, elle était persuadée que Brad n'était qu'un beau parleur, aussi vain qu'artificiel. Qu'on ne pouvait ni compter sur lui ni se fier à lui. Que, tel un caméléon, il se métamorphosait pour répondre aux sollicitations les plus diverses.

Mais à présent, elle l'avait vu affronter les circonstances les plus délicates, les drames les plus terribles, sans la moindre compromission. Il était brillant, certes, mais pas au point de sacrifier la vérité sur l'autel de son éloquence.

Elle savait aussi que sa colère — car elle l'avait souvent poussé à bout — n'était jamais méprisante, vindicative ou incontrôlée. Sans le vouloir, elle l'avait maintes fois mis à l'épreuve, essayant, elle s'en rendait maintenant compte, de le lasser ou de le faire sortir de ses gonds. Pour voir s'il allait se retourner contre elle et réagir comme son père. Ou, tout simplement, finir par s'en aller.

Or Brad n'avait fait ni l'un ni l'autre.

Non, pensa-t-elle : il n'était pas un leurre. Il était bien réel ; subtil et sincère à la fois. Sans doute l'avait-il toujours été, d'ailleurs… mais, trop prudente, elle avait refusé de voir en lui ce que Beth et Erin avaient vu en Phil et Colin : la promesse d'un bonheur partagé. Soudain gagnée du besoin impérieux d'être à son côté, elle partit à sa recherche. Et le trouva dans la cuisine, en grande conversation avec sœur Marie Bernadette autour d'un café.

Sans doute perçut-il qu'elle avait besoin de lui. Il l'embrassa du regard, passa son bras autour de sa taille et l'attira contre lui.

— Je racontais à sœur Marie Bernadette notre conversation avec le Dr McCarter.

— C'est horrible, confirma la religieuse en inspirant profondément. Proprement affreux.

Sous le tremblement de ses mains parcheminées, sa tasse heurta brièvement la soucoupe.

— Si j'osais, je dirais qu'Hensel Rabern a empoisonné Elliott Vine lui-même.

— Etaient-ils ennemis à ce point ? s'enquit Joanna. S'ils se méprisaient tant, pourquoi Vine aurait-il confié sa vie à Rabern ?

— « Mépriser » n'est peut-être pas le mot juste, mais ils étaient ennemis, c'est certain, répondit la vieille dame. Quant à savoir pourquoi Elliott a choisi Hensel… A mon avis, c'est tout simplement parce que Rabern est un chirurgien hors pair, et qu'Elliott avait plus confiance en lui qu'en tous les autres. Quels que soient leurs différends, ils n'ont jamais laissé leur animosité empiéter sur leur vie professionnelle. Pour le reste, j'imagine que cette chère Lucy Chavez vous a déjà mis au courant !

Brad réprima un sourire. Lucy Chavez était le talon d'Achille de Marie Bernadette. Elle ne parvenait pas à masquer son mépris envers elle, ce qui faisait de la jeune femme la seule personne dont la sœur eût une si piètre opinion. Il s'apprêtait à l'interroger sur le sujet, quand il s'avisa qu'ils n'étaient pas seuls : nombre d'invités — et autant d'oreilles indiscrètes— allaient et venaient dans la cuisine pour vider des assiettes ou prendre des plats dans le réfrigérateur.

— Si on allait dans le patio ? proposa-t-il.

Ils emportèrent café et gâteaux pour s'installer dans le patio couvert. Brad tira deux fauteuils en osier pour sœur Marie Bernadette et Joanna, puis il s'assit à son tour.

— Vous saviez que Lucy avait été la maîtresse d'Hensel Rabern avant de le quitter pour Elliott Vine ? demanda-t-il à la religieuse.

— Je m'en doutais, répondit-elle avant de poursuivre, d'une voix douce teintée de son accent irlandais : je suis presque sûre que Rabern n'est resté au Rose Memorial que pour Lucy...

— Donc, interrompit Joanna, Lucy était bien au cœur de leur mésentente ?

— Apparemment, oui. Ils se sont battus pour elle dès qu'elle a mis les pieds dans l'établissement. Quant à Lucy, elle n'a cessé de les monter l'un contre l'autre. Mais ce n'est que la partie visible de l'iceberg.

Brad acquiesça.

— Ils se détestaient bien avant que Lucy n'entre en scène : je suis arrivé deux ans avant elle, et des rumeurs de conflit couraient déjà dans l'hôpital.

— En effet, renchérit pensivement sœur Marie Bernadette. Lucy, qui a tendance à se prendre pour le nombril du monde, a une vision très partielle de la situation : elle est convaincue d'être à l'origine de leur animosité. Mais ce n'est pas le cas. Il y a bien longtemps, Hensel et Elliott étaient les meilleurs amis du monde. Hensel est même le parrain de Chip.

Comme Joanna et Brad échangeaient un regard stupéfait, sœur Marie Bernadette leur décocha un clin d'œil entendu.

— Eh oui… vous commencez à comprendre, n'est-ce pas ? C'est pour cette raison que Hensel a demandé à Lucy d'autoriser Chip et Peggy à quitter les urgences, hier matin. Malgré l'inimitié qui n'avait cessé de croître entre Elliott et lui, Hensel est resté totalement acquis à son filleul.

— Rabern ne s'est jamais marié, n'est-ce pas ? Il n'a pas d'enfant ? demanda Brad.

— Exact. C'est même là le nœud de l'affaire.

La religieuse but une gorgée de café.

— Très tôt, Hensel s'est rangé du côté de Chip — qu'il s'agisse du choix du sport à pratiquer ou de l'université à fréquenter. A tel point qu'Elliott s'est trouvé souvent évincé dans son rôle de père par le parrain de son fils.

— Aux urgences, Peggy nous a confié que son beau-père avait rayé Chip de son testament, observa Joanna.

— En faveur de qui, je me le demande ? médita la sœur. En tout état de cause, voilà un exemple parfait du type de punition mesquine qu'Elliott avait coutume d'infliger à son fils. Et une belle illustration de ce qui rendait Hensel fou de rage pour son filleul.

— Sœur Marie Bernadette, reprit Joanna après un bref silence, aux urgences, le comportement de Chip laissait supposer qu'il savait que son père ne survivrait pas à l'opération. Il n'arrêtait pas de dire : « *Il* m'avait promis que tout se passerait bien », sans préciser de qui il parlait, bien sûr. Mais je me demande… vu la relation entre Chip et Rabern… si ce ne serait pas *lui* qui aurait rassuré Chip ?

— Ce n'est pas exclu. Je sais que Chip se confie à Rabern. Et la modification du testament apporte un nouvel éclairage à l'affaire.

— Dans quel sens ? interrogea Brad.

Les mains croisées sur sa soutane, la religieuse haussa les sourcils.

— Eh bien, si Chip savait que Vine l'avait supprimé de son testament, j'aurais tendance à penser qu'il aurait plutôt voulu garder son père en vie jusqu'à ce qu'il soit rentré dans ses bonnes grâces.

Brad se leva.

— La modification du testament pouvait également motiver Rabern à se charger du pontage de Vine, malgré la trahison de Lucy.

A son tour, Joanna dut admettre que l'hypothèse de sœur Marie Bernadette répondait à toutes les questions qu'elle se posait sur le comportement de Chip *et* de Rabern. C'était sans doute Rabern qui avait assuré à Chip que son père survivrait à l'opération — nécessité impérieuse pour tous deux. Chip ne pouvait espérer être rétabli dans ses droits de succession que si Elliott restait en vie.

Dans cette perspective, même le comportement de Rabern était excusable. Sans doute ressentait-il une obligation morale envers Chip. Mais le triple pontage avait mal tourné et, lorsque Chip avait échoué aux urgences, il avait fait tout son possible pour l'en faire sortir avant que ce dernier ne se donne en spectacle aux yeux de tous.

— Si je comprends bien, personne n'avait intérêt à vouloir la mort d'Elliott Vine, conclut Joanna d'un ton lugubre.

Sœur Marie Bernadette lui tapota affectueusement la main.

— Ne vous découragez pas : vous avez la preuve que la mort d'Elliott n'était pas naturelle. C'est un bon début, non ?

— C'est vrai, mais je commence à croire que le coupable a commis le crime parfait. Elliott est mort, et nous ne savons ni qui l'a tué, ni comment, ni pourquoi.

Avant de regagner le salon, sœur Marie Bernadette suggéra qu'Erin Harper et Colin Rennslaer pourraient les aider à percer le mystère qui entourait la mort d'Elliott Vine : biologiste émérite, Erin leur apporterait son opinion sur la question, tandis que Colin, chirurgien réputé, les éclairerait sur certains points plus techniques.

Enthousiaste, Joanna alla trouver Beth, qui accepta sans tarder de mettre leurs réflexions en commun avec celles de leurs amis : elle ne croyait guère, elle non plus, aux conclusions de la police, et souhaitait faire toute la lumière sur le décès de son mari.

Ils attendirent le départ des derniers invités, puis s'installèrent dans le salon, devant une assiette de petits-fours, une tarte au citron intacte et un pot de café fumant.

Le cœur serré, Joanna observa Beth du coin de l'œil. Ses traits cernés, ses yeux rougis attestaient de longues nuits sans sommeil. Chaque minute, chaque instant passé loin de Phil l'enracinait plus sûrement que le précédent dans sa nouvelle vie — sans lui. Pourtant, à la voir ainsi assise près d'Erin, dans cette pièce aux couleurs chatoyantes, Joanna aurait presque pu croire que rien ne s'était passé. La conversation roulait, nonchalante, agréable, semblable à toutes celles qu'ils avaient eues par le passé... A un détail près : c'était de la mort de Phil qu'ils discutaient.

Elle était si plongée dans ses pensées que Colin dut s'y reprendre à deux fois pour la tirer de ses réflexions.

— A quoi penses-tu, Joanna ?

— Aux circonstances qui nous réunissent aujourd'hui..., répondit-elle avec franchise. Brad et moi avons appris ce matin, et de source sûre, qu'Elliott Vine n'est pas mort de causes naturelles.

— Vous le *savez* ? insista Erin, visiblement interloquée.

Elle acquiesça.

— Oui, et c'est pour cette raison que nous avons fait
appel à vous. En fait, nous espérons que vous pourrez
nous éclairer sur certains points... si vous êtes d'accord,
naturellement.

Colin et Erin échangèrent un regard interrogateur. La
requête semblait les surprendre, mais Joanna les connaissait
assez pour savoir qu'ils ne s'y déroberaient pas.

— Je n'y vois aucun inconvénient, affirma le chirurgien
en reposant son assiette sur la table basse.

— Moi non plus. Mais commençons par le commence-
ment, suggéra Erin : *comment* savez-vous qu'Elliott n'est
pas mort d'un accident ?

Il fallut une vingtaine de minutes à Brad pour mettre le
couple au courant des événements survenus depuis la mort
de Vine : leur entretien avec Ruth Brungart, l'effraction
chez Joanna, leur discussion avec le Dr McCarter — dont
il n'avait pas encore eu le temps de parler à Beth — et, pour
terminer, les conclusions de sœur Marie Bernadette, selon
lesquelles Rabern et Chip avaient puissamment intérêt à ce
qu'Elliott survive à son opération cardiaque.

— Récapitulons, marmonna Erin, lovée sur le canapé.
Point numéro un : Elliott Vine meurt en salle d'opération,
après une intervention sans histoires. Point numéro deux :
Ruth Brungart diagnostique une crise cardiaque, mais, point
numéro trois, il s'agissait en réalité d'un choc anaphylactique.
Autrement dit, une réaction à une substance à laquelle il
était violemment allergique ?

— C'est cela, confirma Joanna.

— Dans ce cas, pourquoi Ruth Brungart ne l'a-t-elle pas
noté dans son rapport ? intervint Colin.

205

— D'après le Dr McCarter, le choc anaphylactique est un événement difficile à déceler, expliqua-t-elle. Lors de l'autopsie, Ruth a bien noté l'arrêt du système circulatoire de Vine, mais elle l'a mis sur le compte d'une insuffisance cardiaque. Phil a poussé plus loin la réflexion et suggéré l'hypothèse d'un choc allergique, ce que le Dr McCarter nous a confirmé ce matin.

— Soit, reprit lentement Colin. Admettons que la réaction allergique soit passée inaperçue… A quoi pense-t-on lorsqu'un patient « coule » en cours d'opération ?

— A la transfusion sanguine, répondit Joanna sans hésiter.

— Exactement.

Colin, qui avait participé plusieurs mois auparavant au projet de recherche d'Erin sur le développement du Hem-Synon, un sang synthétique, connaissait mieux que quiconque les risques liés aux erreurs de transfusion sanguine.

— Je ne comprends pas, observa Brad. Notre banque du sang se plaint toujours de manquer de donneurs. Si c'est dangereux…

— Ça ne l'est pas, interrompit Erin. Le sang que nous recevons subit toujours une batterie de tests approfondis avant d'être distribué aux patients. De plus, les chirurgiens ne réclament une transfusion qu'en cas d'absolue nécessité. Mais, en situation de crise, le plus simple consiste souvent à reporter la faute sur la transfusion, même s'il est rare que le sang du donneur soit bien à l'origine du problème.

Joanna opina.

— Moi-même, je n'ai assisté qu'à un seul accident de ce type depuis la fin de mes études : le sang du donneur s'est révélé être de groupe A positif alors qu'il avait été étiqueté O positif… Le rejet a été immédiat et j'ai aussitôt stoppé la transfusion, ce qui nous a permis de sauver le patient.

Mais cette histoire m'a profondément marquée... Tous les anesthésistes vous le diront : lorsqu'un patient est en chute libre, il faut immédiatement arrêter la transfusion — ce que j'ai fait dans le cas de Vine.

— Je suppose que tu as demandé un rapport de réaction à la transfusion ? demanda Colin.

— Bien sûr. J'ai consulté les résultats le soir même, avant de quitter l'hôpital. Les poches de sang étaient toutes compatibles avec le sang de Vine.

— Avez-vous procédé à une analyse de la contamination bactérienne ? s'enquit Erin.

— Phil s'en était chargé. Mais les analyses sont revenues négatives, elles aussi.

Une heure durant, ils passèrent en revue toutes les causes imaginables du choc anaphylactique qui avait coûté la vie à Elliott Vine. Ils allèrent même jusqu'à envisager les lointaines possibilités offertes par certains poisons exotiques à effet tardif. Mais aucune hypothèse ne semblait plus vraisemblable que la précédente.

Finalement, Erin secoua la tête, pensive.

— Nous sommes en train de chercher midi à quatorze heures. N'oublions pas qu'en médecine comme ailleurs la réponse est presque toujours sous nos yeux. Voyons... Si on vous demandait quelle substance médicale communément répandue est la plus susceptible de causer une grave réaction allergique, vous répondriez sans hésiter...

— La pénicilline, murmura Beth.

— Tu as raison, acquiesça Joanna. D'autant qu'Elliott y était allergique... Mais comment cette fameuse pénicilline lui aurait-elle été administrée ? Qui s'en serait chargé ?

— Eh bien... Tous ceux qui ont eu accès à son dossier médical ! répondit Beth.

— Voilà qui réduit grandement le champ des suspects, répartit Brad, ironique.

Colin secoua la tête.

— Je suis certain que nous pouvons resserrer le champ des possibles. Mais, avant tout, Joanna, admets que tu ne maîtrisais pas tout ce qui entrait dans le corps de Vine. Je suis prêt à parier qu'au moins trois fois une infirmière t'a tendu une poche de solution saline déjà sortie de son emballage.

— Sans compter l'instrumentiste, ajouta Beth. Elle aurait aisément pu remplacer une poche de sang par une autre sans que tu t'en aperçoives.

— Autre possibilité, enchaîna Erin : en utilisant la plus petite seringue du marché, n'importe qui peut injecter n'importe quoi dans une poche de sang. Même si tu le savais, tu ne pourrais pas localiser le trou de l'aiguille sur ton matériel. Autant dire qu'en l'ignorant il n'y avait aucune chance pour que tu le découvres. Même en restant vigilante en permanence.

Joanna prit une profonde inspiration.

— Soit. Mais comment réduire le nombre des suspects potentiels ? Il est impossible de savoir combien de personnes connaissaient l'allergie de Vine. Ni, en l'occurrence, combien avaient la possibilité d'injecter de la pénicilline dans les poches de sang...

— Avant tout, il faudrait retrouver le labo auquel Phil a confié les analyses toxicologiques, suggéra Colin. La pénicilline ne fait certainement pas partie des examens de routine, mais s'il leur reste assez de sang ils pourront effectuer la recherche.

— Exact. Et pour ce qui est des suspects, poursuivit Erin, je commencerais là encore par le plus évident. C'est-à-dire, quelqu'un qui aurait eu accès à la pénicilline, accès aux produits intraveineux et, enfin, intérêt à tuer Vine. Y a-t-il quelqu'un qui réunisse ces trois critères, d'après vous ?

— Oui, grimaça Brad : Peggy Vine.

Joanna se figea, effarée.

— Peggy ? Tu es sérieux ?

— Oui. Réfléchis bien, intima-t-il en se redressant dans le canapé. Elle est pharmacienne. Elle distribue les médicaments pour tout l'hôpital. Et c'est la seule qui avait non seulement accès aux produits, mais en plus, un mobile pour tuer Elliott Vine.

Sous le choc, Joanna se força à réfléchir. A envisager l'hypothèse de Brad de la façon la plus rationnelle qui soit. Sans aucun doute, Peggy Vine pouvait aisément subtiliser de la pénicilline. Aux urgences, elle avait également exprimé sans détour son aversion pour son beau-père — allant même jusqu'à dire qu'elle l'aurait tué elle-même si elle en avait eu les moyens... Dans ce contexte, l'opération de Vine lui offrait une occasion en or... pourquoi ne l'aurait-elle pas saisie ? Pourtant, si elle l'avait fait, aurait-elle manifesté si ouvertement le mépris qu'elle éprouvait envers son beau-père ?

D'un autre côté, en supposant que Chip avait découvert son geste après qu'elle l'eut perpétré, cela pouvait expliquer son accès de fureur... S'il savait que son père l'avait déshérité, mais ne s'en était pas ouvert immédiatement à Peggy, il y avait eu malentendu : Chip tenait absolument à ce que son père survive au triple pontage, tandis que Peggy souhaitait tout aussi désespérément saisir cette occasion pour le tuer. Le malentendu avait mené au meurtre...

Et Chip, ivre de rage, avait frappé sa femme jusqu'au petit matin.

13.

Brad et Joanna venaient de quitter la demeure des Stonehaven quand le téléphone sonna dans la Bronco. Il décrocha en enclenchant la fonction haut-parleur de l'appareil.

— Brad ? s'enquit une voix féminine qu'il reconnut aussitôt. C'est toi ?

— Oui. Bonjour, Lauren. Je suis avec Joanna. Comment vas-tu ?

La directrice du service informatique de l'hôpital laissa échapper un long soupir.

— Couci-couça… mais je suis heureuse de vous trouver. J'ai essayé de vous appeler une dizaine de fois sur cette ligne depuis ce matin !

— Désolé, dit-il en freinant à un carrefour. Nous étions aux funérailles de Phil Stonehaven.

— Bien sûr. J'aurais dû m'en douter… Mais comme je n'arrivais pas à joindre Chip non plus, je commençais à m'impatienter ! Je pensais le trouver chez lui, puisque l'enterrement de son père était prévu pour cet après-midi, mais j'ai entendu dire que la cérémonie a été repoussée à la semaine prochaine.

— Vraiment ? Je l'ignorais, déclara Joanna. Mais… ce n'est pas le but de ton appel, j'imagine. Que se passe-t-il ? As-tu du nouveau ?

— Oui. J'ai obtenu le planning de travail de mon équipe pour la semaine écoulée : c'est Gretel Owens qui était de garde mercredi soir. Elle se souvient d'avoir vu Chip entrer et sortir de la salle informatique au cours de la nuit, mais ils ne se sont pas adressé la parole. Je crois qu'ils ne s'entendent pas très bien... En tout cas, elle est certaine que Chip était encore en ligne après 22 heures. J'ai donc passé en revue les codes d'utilisateur qui ont été entrés dans le système cette nuit-là — et j'ai fini par trouver celui dont Chip s'est servi pour accéder au réseau.

Joanna lança un regard effaré à Brad, avant de s'enquérir :

— Sais-tu à quelle heure il s'est déconnecté ?

— Le système a fermé automatiquement sa session de travail à 00 h 43, deux heures après s'être mis en veille. Autrement dit : Chip a travaillé sur le réseau jusqu'à 22 h 43, puis il est parti en laissant son poste allumé. Il s'est ensuite reconnecté, à l'aide d'un autre code d'accès, à 01 h 27 du matin.

— Sur quoi travaillait-il, au juste ? interrogea Brad.

— Aucune idée, mais j'ai bien l'intention de le découvrir. Il a enfreint *toutes* les règles de confidentialité et de sécurité du service... Ma patience a des limites, je t'assure ! Mais pour en revenir à vous... j'ai actionné le gestionnaire d'impression du service d'anatomopathologie pour savoir si Phil avait lancé une impression avant de mourir...

— Et ? marmonna-t-il, le cœur battant.

— Il a imprimé deux copies d'écran, qui sont sorties sur l'imprimante 434 — celle qui se trouve au secrétariat de son service. Avec un peu de chance, elles y sont encore...

— Merci, Lauren. J'irai vérifier demain à la première heure, assura Joanna avec une émotion manifeste.

Brad la remercia à son tour, puis ils mirent fin à la conversation, et roulèrent en silence pendant quelques instants.

Ce fut Joanna qui reprit la parole. Elle paraissait épuisée, tout à coup.

— Je n'y comprends plus rien, confia-t-elle d'une voix lasse. Tout est si…

— Confus ? suggéra-t-il.

— C'est le moins qu'on puisse dire ! Si je récapitule : primo, nous avons trois médecins différents qui soutiennent ou ont soutenu trois versions différentes des faits. Elliott est-il mort de façon naturelle, accidentelle ou criminelle ? Va savoir ! Secundo, nous avons Chip Vine, qui travaille sur le réseau jusqu'à deux heures du matin. Que cherchait-il ? Mystère. Tertio, nous avons Peggy Vine, qui avait à la fois le mobile et les moyens de tuer son beau-père… mais nous n'avons aucune preuve pour étayer cette théorie. Et, pour couronner le tout, nous avons la police, qui se réjouit de mettre le meurtre de Phil sur le compte d'un sans-abri qu'ils n'ont même pas encore identifié !

Elle jeta un regard découragé vers Brad, qui tendit la main pour nouer ses doigts aux siens. Les réverbères projetaient des ombres mouvantes sur son visage, comme dans les films des années trente qu'il aimait tant.

Et n'étaient-ils pas, eux-mêmes, projetés dans une version contemporaine de ces intrigues en noir et blanc, truffées de traîtres, de femmes fatales et de complots assassins ? Déjà, Joanna ne comptait plus le nombre de fois où elle s'était trouvée dans sa voiture ces jours derniers, pour échapper à la menace qui pesait sur sa vie…

Menace réelle ou imaginaire ? Elle n'aurait su le dire.

Deux hommes étaient morts, pourtant. Tués de sang-froid par un ou plusieurs meurtriers aussi cruels qu'efficaces. Le premier avait succombé à la pénicilline qui lui avait été délibérément administrée pendant son intervention cardiaque. Le second avait été sauvagement supprimé alors qu'il s'apprêtait à découvrir la vérité sur la mort du premier... Le même sort lui était-il réservé, à elle qui s'était lancée sur la même piste ?

Elle réprima un frisson d'anxiété. L'essentiel, à présent, était d'aller vite — plus vite que l'assassin. Puisque le choc anaphylactique ne faisait plus de doute, il ne restait qu'à démontrer qu'Elliott Vine avait subi une injection de pénicilline au cours de la transfusion. Et que cette injection s'était révélée mortelle, exactement comme le meurtrier l'avait escompté.

Pour ce qui était de Phil, en revanche, songea-t-elle avec découragement, les preuves seraient plus difficiles à réunir. La seule façon d'écarter définitivement la piste du sans-abri consistait, encore et toujours, à révéler le lien qui unissait la mort de Phil à celle de Vine, lien qui ne pouvait se trouver que dans le dossier médical d'Elliott, que Phil avait passé en revue avant d'être assassiné. Une lecture approfondie du dossier en question s'imposait donc — elle s'y livrerait dès ce soir.

Elle s'apprêtait à lui annoncer sa décision, quand il prit la parole, un sourire entendu aux lèvres :

— C'est oui, Dish. Je te laisserai lire ce fichu dossier en paix...

— Tu as deviné ? interrompit-elle, stupéfaite. Suis-je si transparente ?

— Comme un livre ouvert, mon amour, répliqua-t-il avec emphase, avant de lui décocher un clin d'œil espiègle. Je te jure que je ne te dérangerai pas... à condition que tu me promettes de m'accorder toute ton attention quand tu auras terminé ta lecture, bien sûr.

— Il sera tard. Tu seras endormi depuis des lustres ! objecta-t-elle en espérant qu'il serait encore éveillé, au contraire.

— Le jour où je serai trop fatigué pour te faire l'amour, Dish...

Comme il laissait sa phrase en suspens, elle ne résista pas à la tentation de le taquiner.

— Tu cherches ce que tu vas dire ? Je ne pensais pas que cela t'arrivait, à toi aussi !

— Bien sûr que ça m'arrive, répliqua-t-il d'un ton exagérément outré. Je suis moins éloquent que tu le crois... Je peux même rester sans voix, figure-toi !

— Sans voix ? Tu veux dire... à court de mots ? énonça-t-elle en feignant la stupeur la plus complète.

— Exactement.

— Génial ! Comment dois-je m'y prendre pour te plonger dans un état pareil ?

Il secoua la tête.

— Je t'expliquerai, Dish. Mais pas maintenant

— Même si je t'embrasse dans le cou ? insista-t-elle.

Il éclata de rire.

— Ça peut aider... mais, non. Je ne te le dirai pas ce soir. Ni demain non plus, d'ailleurs.

Elle haussa les épaules.

— Tant pis. J'attendrai.

— Parfait, acquiesça-t-il en manœuvrant pour entrer dans le parking de son immeuble. Moi, j'attendrai que tu sois venue à bout du dossier médical d'Elliott... mais méfie-toi : je n'attendrai pas jusqu'à l'aube !

La soirée s'écoula comme prévu : après une douche rapide, Joanna s'installa sur le lit, ses lunettes de lecture sur le nez, et le dossier médical d'Elliott sur les genoux. Deux heures durant, elle se pencha sur les graphiques, les résultats d'analyse, les données chiffrées… sans plus de résultat que la veille. Le dossier était un modèle de perfection : rien ne manquait. Tous les champs étaient scrupuleusement remplis ; toutes les étapes de l'intervention qu'avait subie Elliott étaient décrites dans leurs moindres détails. L'équipe médicale, manifestement anxieuse à l'idée d'opérer le très irascible chef du personnel, avait donné le meilleur d'elle-même… Dommage qu'Elliott ne soit plus là pour le voir ! songea Joanna avec une pointe de cynisme en rangeant ses lunettes dans leur étui.

Comme prévu également, Brad n'était pas trop fatigué pour lui faire l'amour. Ils se lovèrent dans les bras l'un de l'autre avec délices, presque surpris de leur ardeur mutuelle à une heure si tardive. Joanna oublia les questions qui la hantaient ; Brad cessa de penser à la conférence de presse hebdomadaire qui l'attendait le lendemain… et dans la pénombre de la chambre, ils s'offrirent le plus beau des cadeaux : un moment de bonheur absolu, hors du temps.

Lorsque le réveil sonna, quelques heures plus tard, Joanna se sentait prête à affronter les événements de la journée — quels qu'ils soient. Et ce fut avec détermination qu'elle se rendit au service d'anatomopathologie dès son arrivée au Rose Memorial. Avec un peu de chance, les documents que Phil avait imprimés le soir de sa mort s'y trouvaient encore !

Brad, de son côté, rejoignit son équipe pour une brève réunion avant la conférence de presse. Cette dernière se déroulerait, comme le jeudi précédent, en présence de Jacob Delvecchio et d'Hensel Rabern. Chip et Peggy Vine, en revanche, avaient décliné l'invitation, de même que Ruth Brungart, en congé, et sœur Marie Bernadette, qui assistait à une autre réunion à l'étage supérieur. Sollicitée par l'assistante de Brad, Lucy Chavez avait accepté de faire une apparition, « à partir de 9 h 15 seulement », avait-elle précisé d'un ton impérial.

Les premiers journalistes se présentèrent à l'entrée de l'amphithéâtre peu avant 9 heures. Dix minutes plus tard, lorsque Joanna se glissa au fond de la salle, les dix premiers rangs étaient complets, et Brad, impeccable dans son costume gris perle, s'apprêtait à prendre la parole.

Elle s'assit au milieu d'une rangée de fauteuils vides, et s'efforça de reprendre son souffle. En vain. Son cœur battait à tout rompre, et il lui fallut mobiliser ce qui lui restait de raison pour ne pas courir annoncer la nouvelle à Brad : elle avait trouvé ! Les deux pages que Phil avaient imprimées avant de mourir l'attendaient sagement au milieu de la pile de courrier que son ancienne assistante n'avait pas encore pris le temps de jeter. Joanna s'en était emparée le plus discrètement possible, puis elle s'était isolée un instant pour les lire.

Comme elle s'y attendait, il s'agissait de captures d'écran effectuées à partir du dossier médical d'Elliott Vine. Il lui avait fallu moins de trois secondes pour comprendre ce qui avait attiré l'attention de Phil. Et c'était à toutes jambes qu'elle avait rejoint l'amphithéâtre pour partager sa découverte avec Brad… qui ne serait malheureusement pas disponible avant une bonne vingtaine de minutes. Croisant son regard, elle lui annonça la réussite de leur entreprise d'un signe de tête — et se résigna à patienter jusqu'à la fin de la conférence pour lui en dire plus.

Il attendit que Jacob Delvecchio, Hensel Rabern et Lucy Chavez aient pris place derrière la table dressée sur l'estrade, puis il s'avança vers le micro et délivra, dans un silence studieux, un résumé clair et concis des événements survenus depuis la semaine précédente : l'enquête menée en interne sur la mort de M. Elliott Vine suivait son cours. Quant à celle du Dr Philip Stonehaven, poursuivit-il, elle venait d'être relancée par la découverte, deux jours plus tôt, d'un sans-abri en possession des cartes de crédit et de la montre qui avaient été subtilisées à la victime. La police de Chicago attribuait le meurtre du médecin à un autre sans-abri, toujours en fuite, qui aurait lui-même été délesté de son butin par son camarade d'infortune, conclut-il, avant d'ajouter :

— Si vous avez des questions, c'est le moment de les poser... mais faites vite : je n'ai plus qu'une dizaine de minutes à vous consacrer ce matin.

A peine avait-il fini sa phrase qu'une femme levait la main.

— Monsieur MacPherson... Pourquoi l'enquête interne est-elle toujours en cours ?

— Parce que nous n'avons pas encore rassemblé les éléments permettant de la conclure.

Cette lapalissade, qu'il avait glissée avec un haussement d'épaules ouvertement condescendant, détendit l'atmosphère. Quelques rires fusèrent dans la salle, mais, très vite, les journalistes retrouvèrent leur mordant.

— Devons-nous en conclure que la direction de l'hôpital n'est pas entièrement satisfaite de la façon dont s'est déroulée l'intervention chirurgicale de M. Vine ? s'enquit un reporter au premier rang.

— Je n'ai pas dit ça. J'ai moi-même veillé tard la nuit dernière pour relire le dossier médical de M. Vine et je peux vous assurer que rien, à mes yeux ni à ceux de l'expert qui a lu le dossier avec moi, n'indique la moindre défaillance dans les soins qui ont été administrés à M. Vine la semaine dernière.

— Dans ce cas, pourquoi poursuivez-vous l'enquête ? insista la femme qui avait posé la première question.

Joanna se raidit. Cette fois, Brad n'avait aucun moyen d'esquiver l'attaque — à moins de prétendre que sa hiérarchie lui interdisait de discuter de l'enquête en cours.

Il fit exactement l'inverse.

— Nous n'avons pas encore clos l'enquête, répondit-il en prenant une profonde inspiration, parce qu'un éminent spécialiste en médecine légale nous a affirmé que la mort de M. Vine n'est pas imputable à des causes naturelles.

Un bref silence succéda à son intervention... puis tous les journalistes se mirent à crier en même temps, lançant les questions les plus insensées d'une voix que l'excitation rendait hystérique. Jacob Delvecchio, Hensel Rabern et Lucy Chavez profitèrent de l'agitation générale pour s'éclipser par une porte latérale avec des mines de fossoyeurs.

Hébétée, le souffle court, Joanna les regarda sortir sans réagir. Peu importait leur colère. Brad venait de mettre en jeu sa carrière, sa crédibilité professionnelle, *tout ce qu'il était*, pour défendre leur vision de la vérité. Comment avait-elle pu douter de l'intégrité d'un homme capable d'une telle audace ?

Il était extraordinaire. Tout simplement extraordinaire. Et elle n'aurait pas assez d'une vie pour le lui faire comprendre, décida-t-elle, incapable de réprimer le sourire réjoui qui lui montait aux lèvres.

Le silence était plus ou moins retombé sur l'assemblée, à présent. Brad désigna une des journalistes qui levaient la main, et l'invita à poser sa question, qui résuma l'interrogation générale :

— Pensez-vous que M. Vine a été assassiné ?

— Je ne peux pas vous répondre pour le moment. Tout ce que nous savons, c'est que M. Vine est mort d'un collapsus circulatoire qui n'a pas été provoqué par une attaque cardiaque. Dès que notre expert sera en mesure d'apporter des preuves matérielles et concluantes à cette découverte, je vous réunirai pour vous en faire part... si je suis toujours là, bien sûr, conclut-il en lançant un regard éloquent vers la chaise que Jacob Delvecchio avait renversée dans sa hâte à quitter les lieux.

Brad regagna son bureau à grands pas. Joanna et lui étaient convenus de s'y retrouver aussitôt après la conférence de presse, et il était impatient de savoir ce qu'elle avait découvert dans le casier de Phil Stonehaven.

Elle se trouvait déjà dans la pièce lorsqu'il poussa la porte, mais Janice, son assistante, l'interpella avant qu'il ait pu la refermer.

— Qu'est-ce qui vous a pris ? s'enquit-elle, l'air effaré. Delvecchio est passé me voir il y a cinq minutes. Il était rouge de colère... Vous êtes convoqués, Joanna et vous, dans son bureau, séance tenante !

Il consulta sa montre en souriant.

— Il attendra un peu... Dites-lui que nous y serons à 10 heures.

Elle acquiesça en levant les yeux au ciel. Brad la rassura d'un clin d'œil espiègle, puis il entra dans son bureau. Là, il ôta sa veste, desserra son nœud de cravate et s'approcha de Joanna en tourbillonnant sur lui-même comme un danseur qui entre en piste.

— J'ignorais qu'il était aussi excitant de se faire hara-kiri en public ! ironisa-t-elle avant de se blottir dans le cercle de ses bras.

— Moi aussi, assura-t-il en riant. Et je t'assure que je ne regrette rien !

Ils échangèrent un long baiser, puis Brad désigna les deux feuilles de papier posées en évidence sur son bureau.

— Montre-moi ce que tu as trouvé.

Elle lui tendit les documents sans un mot d'explication : s'il remarquait la différence qu'il y avait entre eux et ceux que Lauren Bristol leur avait remis, elle aurait la certitude que Chip Vine l'avait notée, lui aussi.

Sa réaction ne se fit pas attendre.

— La case des allergies est vide, constata-t-il moins de dix secondes après avoir posé les yeux sur le document. Les renseignements ont été effacés.

— Exactement.

Elle sortit le dossier médical de sa serviette en cuir, et l'ouvrit à la page qu'une infirmière avait remplie avant l'opération d'Elliott.

— Regarde, intima-t-elle en pointant le doigt sur la case des allergies, dûment remplie, celle-là. C'est ici que les documents diffèrent.

Il se pencha de nouveau sur les copies d'écran que Phil avait effectuées. Sur la première page, la pénicilline figurait clairement en tête des allergies connues d'Elliott Vine ; sur la seconde, qui servait à vérifier la compatibilité des médicaments prescrits au patient avec ses allergies connues, les cases étaient vides.

— La pénicilline devrait figurer ici, n'est-ce pas ? interrogea-t-il.

— Oui. Il s'agit du questionnaire que nous soumettons au patient plusieurs jours avant l'opération. C'est moi qui m'en charge, et je transmets les réponses à une infirmière, qui les rentre dans l'ordinateur central. Le système se charge alors de bloquer toute commande de médicaments qui ne serait pas conforme aux indications fournies par le questionnaire.

220

— Est-il possible de modifier ces informations par la suite ?

— Théoriquement, non, mais...

— En pratique, rien ne s'y oppose, acheva-t-il d'une voix blanche. Surtout quand on est un petit génie de l'informatique...

Elle hocha gravement la tête.

— Je crois que la pénicilline a d'abord été effacée du dossier, puis réintégrée comme si de rien n'était. Et c'est ce que Phil a remarqué...

— Je commence à comprendre ce que fabriquait ce cher Chip à 1 h 33 du matin jeudi dernier..., marmonna-t-il, les dents serrées. Viens : Delvecchio nous attend. Je suis sûr qu'il sera ravi d'entendre notre petite histoire !

Il était exactement 10 heures passées de cinq minutes, lorsque Brad et Joanna entrèrent dans le bureau de Jacob Delvecchio, où le directeur général du Rose Memorial Hospital les attendait en compagnie d'Hensel Rabern et de Lucy Chavez. Deux chaises avaient été avancées pour eux au centre de la pièce, donnant à l'entretien qui allait suivre des allures d'interrogatoire, mais Joanna, sûre de sa victoire, ne se laissa pas impressionner. Elle prit place à côté de Brad, et lissa sa jupe beige du plat de la main en attendant qu'Hensel Rabern prenne la parole — puisque Jacob Delvecchio était manifestement trop furieux pour lancer le débat.

Bras croisés, le regard noir, le chirurgien les toisa des pieds à la tête sans dissimuler le mépris qu'il éprouvait à leur égard.

— Avez-vous la moindre justification à apporter à votre conduite, MacPherson ? s'enquit-il enfin.

— Naturellement, *docteur* Rabern, répondit Brad d'un ton ingénu. Et je serai heureux de vous les exposer ici... si toutefois vous êtes prêt à m'écouter.

— Nous vous écoutons. Mais faites vite : nous avons mieux à faire que de résoudre les dégâts causés par votre malheureuse intervention !

— Vraiment ? Et que comptez-vous faire, au juste, pour réparer les dégâts ? Jouer les autruches ? Acheter mon silence ?

Rabern haussa les sourcils d'un air franchement étonné.

— Vous divaguez, MacPherson... Je n'ai rien à cacher dans cette affaire : je ne vois pas pourquoi je chercherais à vous faire taire !

— Nous avons découvert qu'Elliott Vine est mort d'un choc anaphylactique, provoqué, selon toute vraisemblance, par une injection massive de pénicilline, lui asséna Joanna. Nous avons donc affaire à un meurtre, docteur Rabern. Et, croyez-moi, je n'ai pas l'intention de le passer sous silence !

Sa déclaration eut l'effet escompté : Delvecchio s'agrippa au rebord de son bureau, pâle comme un linge. Lucy, la bouche ouverte en une interrogation muette, offrit l'image même de la stupeur. Quant à Rabern, il se retrancha dans une colère plus noire encore.

— Un meurtre ? répéta-t-il d'une voix tremblante de rage. C'est l'hypothèse la plus ridicule que j'aie jamais entendue !

— Eh bien, je ne crains pas le ridicule, reprit-elle d'un ton glacial. D'ailleurs, j'ai une autre révélation « saugrenue » à vous faire : Phil Stonehaven n'a pas été assassiné par un sans-abri qui en voulait à ses cartes de crédit, figurez-vous. Il a été tué, et de la façon la plus sauvage qui soit, parce

222

qu'il était sur le point de découvrir la vérité sur la mort d'Elliott Vine.

La confusion la plus totale se peignit sur le visage d'Hensel Rabern.

— Mais c'est extravagant !

— Pas du tout, Hensel, objecta Brad. C'est même si peu extravagant que l'Institut médico-légal est prêt à cautionner notre explication des faits. Son directeur, Tavish McCarter, a été chargé par la brigade criminelle d'examiner les prélèvements sur lesquels travaillait le Dr Stonehaven avant d'être assassiné. Il s'agissait, comme vous le savez tous, des prélèvements *post mortem* effectués dans l'après-midi sur le corps d'Elliott Vine. Or, le Dr McCarter nous a confirmé qu'Elliott est bien mort d'une réaction allergique à la pénicilline.

Rabern tourna un regard acéré vers Jacob Delvecchio.

— Pourquoi ne m'avez-vous pas mis au courant de l'intervention de l'Institut dans cette affaire ?

— Parce que je l'ignorais moi-même, répliqua-t-il sèchement, avant de s'adresser à Joanna : Et vous, docteur Cavendish, étiez-vous au courant ?

— Oui.

— Calmons-nous, suggéra Rabern d'un ton presque mielleux, tout à coup. Il s'agit vraisemblablement d'un tragique concours de circonstances, dont nous ne pourrons jamais expliquer les causes. Dans l'intérêt de l'hôpital, je suggère que nous...

— Une minute, interrompit Joanna. Nous sommes parfaitement en mesure de prouver le meurtre d'Elliott Vine, au contraire. Je sais que Phil avait demandé, contre l'avis du Dr Ruth Brungart, à un laboratoire indépendant d'effectuer une recherche toxicologique sur le sang d'Elliott.

— Et alors ? La pénicilline ne fait pas partie des substances toxiques, répliqua Rabern avec tout le dédain dont il était capable.

— Je sais, assura-t-elle en s'exhortant au calme, mais le laboratoire peut utiliser le reste de l'échantillon pour détecter la présence de pénicilline ou de ses dérivés dans le sang d'Elliott.

Un sourire triomphal étira les lèvres du chirurgien.

— Ce serait judicieux, en effet, mais je crains que nous n'en ayons plus la possibilité. Le laboratoire a déjà utilisé l'intégralité de l'échantillon qui leur avait été envoyé par Stonehaven. Maintenant, si vous voulez bien…

— Attendez un peu, coupa Brad. Comment savez-vous que le laboratoire a utilisé tout l'échantillon ?

— Parce que Ruth Brungart est revenue sur sa décision.

— Comment cela ? interrogea Joanna, perplexe. Elle a demandé une recherche toxicologique, elle aussi ?

Rabern laissa échapper un soupir agacé.

— Si vous me laissiez finir, vous sauriez que c'est exactement ce que je m'apprêtais à dire ! Quand nous avons reçu les résultats des analyses demandées par le Dr Stonehaven — résultats *négatifs*, dois-je le préciser ? —, le Dr Brungart et moi-même avons décidé de poursuivre cette recherche toxicologique dans l'intérêt de l'enquête en cours. Nous avons donc demandé au laboratoire de réitérer les analyses jusqu'à ce qu'ils obtiennent éventuellement un résultat positif.

— Ou jusqu'à ce que l'échantillon soit utilisé jusqu'à la dernière goutte ? s'exclama Joanna en se levant d'un bond.

Rabern l'imita, et ce fut en se dressant de toute sa hauteur qu'il repartit vivement :

— Comment osez-vous insinuer…

224

— Je n'insinue rien du tout ! explosa-t-elle, laissant libre cours à sa fureur. Je dis et je répète que vous avez délibérément réclamé ces analyses supplémentaires pour qu'il ne reste rien de l'échantillon d'Elliott.

— C'est de la diffamation pure et simple ! rugit Rabern. Nous réglerons ça au tribunal, Cavendish !

Delvecchio se leva à son tour, tandis que Lucy Chavez, l'air effaré, se tournait vers Rabern.

— Calme-toi, Hensel, pour l'amour de Dieu ! intima-t-elle en lui posant une main sur le bras.

— Je ne me calmerai pas, ni pour Dieu ni pour personne ! aboya-t-il en la repoussant d'un geste rageur. Quant à *vous*, reprit-il à l'adresse de Joanna, vous pouvez dire adieu à votre carrière : quand j'en aurai fini avec vous, vous n'aurez même plus le droit de mettre le pied dans un hôpital !

14.

Le temps que Joanna prenne conscience de la gravité des accusations qu'elle venait de lancer à l'encontre d'Hensel Rabern, elle était de retour dans le bureau de Brad. Il l'assit sur le canapé et lui tendit une cannette de soda, qu'elle accepta sans réfléchir.

— Je n'arrive pas à croire qu'il ait fait une chose pareille ! lança-t-elle d'une voix que la colère faisait trembler.

Brad laissa échapper un soupir.

— Ecoute, rien ne prouve qu'il a réclamé des analyses supplémentaires dans l'unique but de gaspiller cet échantillon.

— Rien ne le prouve, en effet, mais c'est troublant, non ?

— Je suis d'accord avec toi : c'est effectivement troublant. Mais qui te dit que Ruth Brungart et lui ne souhaitaient pas *sincèrement* explorer toutes les pistes toxicologiques ? Elle craignait peut-être d'être mise en cause, si son rapport se révélait moins approfondi que celui de Phil ?

— Bien vu, en effet. Je te propose de l'ajouter à la liste des suspects : si Phil s'apprêtait à la ridiculiser auprès de ses pairs, Ruth avait une excellente raison de le tuer, tu ne crois pas ? repartit-elle d'un ton cinglant.

— Joanna...

— N'essaie pas de me raisonner, Brad : je suis très sérieuse ! Vu son gabarit, Ruth aurait pu assommer Phil sans difficulté. Il ne se serait même pas méfié en la voyant entrer...

— Arrête, Dish. Ruth n'a pas tué Phil, objecta-t-il fermement. Rabern non plus, d'ailleurs. Ils sont bien trop calculateurs tous les deux pour avoir lancé un microscope à la tête d'un de leurs collègues.

— Quelqu'un s'en est chargé, pourtant... Et grâce à leurs talents réunis, nous n'avons plus aucun moyen de prouver qu'un meurtre a été commis au bloc.

Puisque les prélèvements *post mortem* d'Elliott Vine ne pouvaient servir de preuve formelle, leur numéro de dossier ayant été diligemment arraché par l'assassin de Phil, l'échantillon de sang envoyé au laboratoire restait leur seule chance de prouver qu'Elliott avait été empoisonné à la pénicilline. En demandant au laboratoire de répéter les analyses jusqu'à épuisement de l'échantillon, Rabern avait réduit cette chance à néant.

— Hensel va se calmer, c'est sûr, observa Brad d'un ton qui se voulait rassurant. Il va vite comprendre qu'il risque gros à t'accuser de diffamation quand tout le désigne, lui, comme le responsable de la mort d'Elliott. Même s'il n'en est pas l'instigateur, il a forcément été mis au courant des projets de l'assassin d'une façon ou d'une autre. Sans quoi il ne chercherait pas si désespérément à se couvrir...

— Je me fiche qu'il m'intente un procès. Ça ne me fait pas peur, tu sais !

— Je ne parlais pas du procès, Jo. Quoique je suis certain qu'il renoncera à cette idée ridicule lorsqu'il aura repris ses esprits. Non, je parlais de l'attitude qu'il a eue tout à l'heure...Cette façon de tout nier en bloc ne le mènera nulle part. Il est assez intelligent pour s'en rendre compte. Et j'ai bien envie de l'inviter à prendre un verre ce soir pour en parler seul à seul avec lui. Qu'en penses-tu ?

Elle esquissa une moue dubitative.

— Et s'il refuse de t'écouter ou qu'il te demande de faire machine arrière ?

— C'est un risque à prendre, mais tu me fais confiance, n'est-ce pas ?

Son ton s'était fait pressant, presque suppliant. Et elle comprit l'importance que la question revêtait à ses yeux. Elle comprit aussi qu'elle ne pouvait le décevoir. Pas maintenant, alors qu'ils étaient si près du but. Pas après ce qu'ils avaient vécu, enduré ensemble au cours des jours précédents.

Pas après le risque qu'il avait pris, pour elle et au nom de la vérité, en conférence de presse le matin même.

— Oui, répondit-elle fermement. Je te fais confiance.

Un large sourire illumina son visage. Et Joanna songea qu'elle n'avait jamais reçu plus beau témoignage de gratitude que l'étincelle de bonheur qui brilla dans ses yeux.

— Parfait, dit-il en lui prenant la main. Allons voir le directeur de la pharmacie.

La pharmacie de l'hôpital où travaillait Peggy Vine était située au sous-sol du bâtiment principal. Elle avait récemment fait l'objet d'importantes rénovations, qui visaient surtout à améliorer la sécurité des lieux. Roger Wei, le directeur du service, tenait particulièrement à restreindre l'accès des locaux aux seules personnes autorisées. Aussi Brad et Joanna durent-ils décliner leur identité et le but de leur visite avant d'être admis à l'intérieur par une préparatrice, qui leur indiqua d'un geste le bureau de Roger.

Brad frappa contre le battant de la porte, que l'occupant des lieux avait laissé entrouvert.

— Roger ? appela-t-il. Je peux entrer ?

— Brad ? Bien sûr.

Il les accueillit d'un large sourire.

— Bonjour, Joanna, dit-il en lui tendant la main. Asseyez-vous.

Brad ferma la porte derrière lui, et prit place près de Joanna.

— Alors, reprit Roger en se laissant retomber dans son fauteuil, que puis-je pour vous ?

— Avant tout, commença Brad, j'aimerais que tu me promettes de garder notre conversation pour toi.

— Promesse accordée, assura-t-il en tapotant son stylo contre le rebord de la table. Mais laisse-moi deviner... Tu viens me demander si mon stock de pénicilline est au complet, c'est bien cela ?

— Bingo ! murmura Joanna.

— Je n'ai pas grand mérite, ironisa Roger. Vu les révélations fracassantes que Brad a faites à la presse ce matin, j'avoue que je m'attendais à votre visite. Mais croyez-vous sérieusement que Peggy Vine puisse être impliquée dans la mort de son beau-père ?

— Disons que nous ne l'excluons pas, répondit Brad. Et toi, qu'en penses-tu ?

— Eh bien... Je suis certain que Peggy a eu la possibilité matérielle de le faire, mais je doute qu'elle soit passée à l'acte. Et si elle l'a fait, elle n'a pas volé la pénicilline à la pharmacie. J'ai procédé hier à un inventaire complet, comme tous les dimanches : rien ne manquait.

— En es-tu sûr ? intervint Joanna. Si quelqu'un s'est servi dans les stocks, cela remonte forcément à moins de dix jours, puisque c'est à ce moment-là que le pontage d'Elliott a été programmé.

Roger secoua la tête.

229

— Rien n'a été volé au cours du mois dernier — hormis une dizaine de boîtes de Tylénol qui ont servi, je suppose, à apaiser les maux de tête de mon personnel et de leur famille.

— Aucun médicament allergénique n'a disparu ? insista-t-elle, incrédule.

— Non. Je suis désolé.

Elle força un sourire.

— Ce n'est rien. Merci de ton aide.

— De toute façon, ajouta-t-il, si Vine était allergique, il aura suffi d'une très petite dose de pénicilline pour lui faire passer l'arme à gauche... Deux ou trois comprimés dissous dans un peu de solution saline, pas plus.

— Deux ou trois comprimés ? répéta Brad. Autant dire que l'assassin a pu se les procurer n'importe où !

— Tout à fait, acquiesça Roger, l'air navré.

Ils prirent congé quelques instants plus tard, et Brad raccompagna Joanna jusqu'à la sortie de l'hôpital. Là, ils détaillèrent une fois de plus leur programme respectif : Joanna devait rentrer chez Brad pour déjeuner, puis se rendre chez elle pour accueillir l'équipe de vitriers, tandis qu'il achèverait sa journée de travail, avant d'inviter Rabern à prendre un verre. Ils se retrouveraient donc dans la soirée, chez Beth, où Joanna irait, sitôt les réparations terminées chez elle.

Brad héla un taxi, puis attendit sur le trottoir que Joanna soit installée sur la banquette arrière.

— Promets-moi de faire attention, dit-il en se penchant vers elle pour l'embrasser. Ne rentre pas chez toi avant l'arrivée des vitriers et ne reste pas seule après leur départ, d'accord ?

— D'accord, assura-t-elle avec une pointe d'ironie. Je ferai très, très attention.

230

— Tu sais où te garer dans mon parking ?

— Oui ! Tu me l'as montré trois millions de fois...

— Bon, dit-il avec une moue hésitante. Je n'ai plus qu'à te laisser partir, alors ?

— Je crois que oui, dit-elle en réprimant un sourire. Mais ne t'inquiète pas : tout se passera bien ! A ce soir.

Il lui caressa la joue, et s'écarta pour permettre au chauffeur de démarrer. Joanna se retourna pour l'apercevoir une dernière fois par la plage arrière, avant que le flot des voitures ne lui bloque la vue. Mais tandis qu'elle agitait la main, les yeux rivés sur sa silhouette de plus en plus indistincte, elle fut envahie d'un sentiment étrange. Il lui sembla que les quelques jours passés en sa compagnie n'avaient été qu'un rêve.

Et qu'il ne serait plus là à son réveil.

Après avoir déjeuné sur la terrasse de l'appartement de Brad baignée de soleil automnal, Joanna appela un taxi pour rentrer chez elle. « Le dernier de la série », se promit-elle, agacée par cette précaution apparemment inutile. Si le danger qu'elle encourait à rester seule lui avait paru bien réel quelques jours plus tôt, lorsqu'elle avait été cambriolée, il ne semblait plus être, aujourd'hui, que le produit de l'imagination inquiète de Brad : hormis l'effraction dont elle avait été victime et les propos menaçants de Peggy Vine à la sortie des urgences, rien ne prouvait qu'elle fût la proie d'un assassin. Personne ne l'avait regardée de travers — Rabern excepté, bien sûr. Mais les attaques verbales de ce dernier l'avaient laissée de marbre. Elle l'affronterait devant les tribunaux s'il le fallait ! Quant à l'imaginer en assassin... Comme Brad, elle avait écarté cette hypothèse hautement improbable.

231

Il n'était pas question, pourtant, de revenir sur sa promesse : Brad lui avait fait jurer de respecter ses consignes à la lettre, et elle le ferait... une toute dernière fois.

Elle monta donc dans le taxi et, une fois arrivée devant son domicile, elle attendit sagement l'arrivée des vitriers en buvant un chocolat au café d'en face. Dix minutes s'écoulèrent, puis une camionnette blanche se gara sur le trottoir. Deux hommes en bleu de travail, une vitre à la main, s'avancèrent vers le perron de sa maisonnette. Ils parurent quelque peu interloqués lorsqu'elle demanda à vérifier leur identité — toujours suivant les consignes de Brad — mais se plièrent poliment à sa requête. Les formalités terminées, elle ouvrit la porte et les précéda dans la cuisine, où ils se mirent aussitôt au travail.

Elle s'éclipsa alors pour monter au premier étage, et rassembler quelques vêtements en prévision des jours à venir.

Tout était tel qu'elle l'avait laissé : le couvre-lit d'inspiration africaine soigneusement tiré sur les draps blancs, la lampe de chevet avec son abat-jour tarabiscoté en osier, les bibelots sur la commode, sa boîte à bijoux, la photo de Nana Bea près de la fenêtre... Autant d'objets chéris, évocateurs d'une existence riche en émotions et en rencontres. Si elle appréciait de retrouver son cadre de vie après quarante-huit heures d'absence, elle n'éprouvait cependant pas le désir de s'y attarder. Elle se sentait presque étrangère en ces lieux, comme si une partie d'elle-même avait déjà tourné la page sur cette période de sa vie. Un nouveau chapitre s'ouvrait, un virage s'amorçait... Où la route la mènerait-elle ? Elle l'ignorait, mais elle était prête à prendre le chemin.

Le téléphone se mit à sonner lorsqu'elle arriva au rez-de-chaussée. Les réparateurs étaient sortis en laissant la porte ouverte — sans doute pour aller chercher des outils dans leur camionnette. Encombrée de sa valise, elle décida de laisser le répondeur prendre l'appel. Si c'était Brad ou Beth, elle décrocherait, sinon, elle rappellerait plus tard. Elle déposa tranquillement sa valise dans le hall, puis revint vers la cuisine, à l'instant où résonnait la troisième sonnerie. Elle se figea, attendant que le répondeur se mette en marche, mais la procédure échoua et ce fut le service de messagerie automatique de son opérateur téléphonique qui décrocha, à la cinquième sonnerie.

Elle s'approcha, intriguée. Son répondeur avait toujours bien fonctionné jusqu'à présent… Le témoin de mise sous tension était pourtant correctement allumé. Un peu agacée, elle appuya sur le bouton « marche/arrêt » pour relancer la machine. Mais un bip sonore accompagna la remise en marche, comme pour signaler une erreur. Sourcils froncés, elle souleva le clapet qui protégeait le compartiment à cassettes…

Et laissa échapper un cri de stupeur : là où auraient dû se trouver deux minicassettes — l'une pour diffuser son message d'accueil, l'autre pour enregistrer les messages de ses correspondants —, il n'y en avait plus qu'une, celle du message d'accueil. Celle qui stockait ses messages avait disparu.

Son cœur s'accéléra si vivement qu'elle dut s'agripper au comptoir de la cuisine pour ne pas chanceler. Voilà ce que le cambrioleur était venu chercher ! Voilà pourquoi il n'avait pas eu à s'aventurer plus loin que la cuisine… Il avait brisé le carreau et enjambé la fenêtre pour lui subtiliser la cassette de son répondeur téléphonique. Pour s'assurer qu'elle n'entendrait pas les messages qui lui avaient été laissés en son absence.

« Respire », s'exhorta-t-elle, sans parvenir à quitter l'appareil des yeux. Devait-elle appeler la police ? Sans doute… même si elle venait, sans le savoir, d'effacer les éventuelles empreintes digitales que le cambrioleur avait déposées sur le répondeur.

De qui provenait l'appel qu'il tenait tant à détruire ?

Elle se força à réfléchir. Après sa conversation avec Phil, l'autre soir, elle était partie prendre sa douche. Sans rallumer le répondeur qu'elle avait éteint pour prendre son appel, vingt minutes plus tôt. Par conséquent, si quelqu'un l'avait appelée tandis qu'elle était dans la salle de bains, c'était la messagerie automatique de son opérateur, et non le répondeur, qui avait décroché. Et pris le message — si message il y avait.

Elle décrocha le combiné d'une main tremblante et composa le numéro du serveur de messagerie automatique.

— Vous avez deux nouveaux messages, lui annonça la voix désincarnée de l'appareil. Premier message : mercredi, à 22 h 52 minutes.

Un bref silence s'écoula, puis une voix familière se fit entendre sur la ligne.

— Joanna, c'est encore Phil.

15.

— Rappelle-moi dès que tu peux, intima la voix enregistrée de Phil. J'ai trouvé, Jo : c'est l'histoire des fraises...

Quelles fraises ? Elle n'eut pas le temps de s'interroger davantage : Phil s'était arrêté net et, dans le silence qui suivit, elle entendit distinctement sa chaise grincer sur le sol.

— Mais... qu'est-ce que *tu* fais ici ? rugit-il d'une voix empreinte de colère.

Quelqu'un venait de s'introduire dans le bureau, comprit-elle, glacée d'horreur. Quelqu'un qu'il connaissait. Quelqu'un qui n'aurait pas dû entrer sans frapper.

Ensuite, tout se passa très vite : au cri de Phil succéda un choc sonore — le téléphone qui tombait sur le coin de la table —, puis un hurlement de terreur suivi d'un bruit sourd, affreux.

Celui qu'avait fait le microscope en s'abattant sur la tête de Phil.

L'enregistrement s'arrêtait deux secondes plus tard. Et la voix désincarnée du service de messagerie reprit :

— Message suivant. Jeudi, à 13 h 43...

Elle raccrocha violemment, comme si le combiné lui brûlait les doigts. La voix de Phil résonnait encore à ses oreilles. Et ce bruit, ce bruit atroce... Parviendrait-elle jamais à l'effacer de sa mémoire ? Son meilleur ami avait

235

été assassiné pendant qu'elle était sous la douche. Mercredi soir, à 22 h 52.

Soit très exactement neuf minutes après que Chip Vine eut laissé son ordinateur se mettre en veille.

Elle contourna le bar de la cuisine, et gagna le salon sur des jambes qui la portaient à peine. Là, elle se laissa choir sur le canapé du salon, indifférente au va-et-vient des ouvriers qui poursuivaient leur travail.

Les pensées se succédaient, s'entrechoquaient dans son esprit. Les images, aussi, l'envahissaient : Chip, assis derrière son écran, de plus en plus inquiet à mesure que Phil progressait dans sa lecture du rapport d'autopsie. Terrifié même, à l'idée que le médecin légiste ne repère les traces du choc anaphylactique. Puis, peu avant 22 h 43, Phil, qui s'attardait sur les pages du dossier médical que Chip avait falsifiées en supprimant la pénicilline des allergies connues d'Elliott Vine. Et Chip, ivre de rage, qui quittait en courant la salle informatique… Pour aller assassiner celui qui s'apprêtait à démasquer sa femme.

Soudain, la phrase de Phil lui revint à la mémoire : « Ce sont les fraises, Jo… »

Alors, elle comprit. Ce n'était pas Peggy qui avait trouvé le moyen de supprimer Elliott Vine. C'était Chip.

Les propos sibyllins de Phil faisaient référence à un des petits patients de Beth : atteint d'une grave maladie sanguine, l'enfant avait dû subir une transfusion de plaquettes, qui avait failli lui coûter la vie. Saisi de tremblements quelques instants après le début de l'intervention, il n'avait dû son salut qu'à la vigilance d'une des infirmières, qui avait stoppé la transfusion dès l'apparition des premiers signes de rejet.

Beth avait eu la clé du mystère vingt-quatre heures plus tard : le donneur avait mangé des fraises. Or l'enfant y était allergique. Et la dose infime de fruit qui restait dans le sang

236

du donneur vingt heures après leur ingestion avait suffi à provoquer chez lui un choc anaphylactique.

Chip avait-il eu vent de cet incident ? Peut-être. Toujours est-il qu'il avait appliqué le même principe à la pénicilline. Sachant son père allergique, il en avait ingéré une dose massive, qui était passée dans son sang — sang qu'il avait ensuite donné au laboratoire de l'hôpital en prévision de l'opération à venir. La poche, mêlée à celles d'autres donneurs, avait été montée au bloc... et Joanna l'avait accrochée à l'intraveineuse d'Elliott, qui était mort quelques instants plus tard.

Voilà ce que Phil avait voulu dire en mentionnant les fraises... Elle blêmit, effarée par le machiavélisme, la haine froide et calculatrice qui avaient présidé à la mise en œuvre de cette stratégie meurtrière. Un fils avait tué son père, et l'avait élue, elle, pour porter le coup fatal. Pour payer le prix de son...

Le téléphone sonna, interrompant brusquement ses pensées. Brad ! C'était forcément lui... Elle rejoignit la cuisine en trois enjambées et décrocha l'appareil avec un soulagement indicible...

Elle se trompait. C'était Peggy Vine.

— Jo... Joanna ? Il faut que... que tu m'aides, je t'en prie !

Entremêlée de sanglots déchirants, sa voix était quasiment méconnaissable. Et Joanna n'eut pas à réfléchir longtemps pour deviner ce qui — ou plutôt celui qui — l'avait mise dans un tel état.

— Peggy ? Que se passe-t-il ?

— Je... S'il te plaît, Jo...

— Ecoute-moi, ordonna-t-elle, la main crispée sur le combiné. Chip t'a battue, c'est ça ?

— Oui, mais...

237

— Où est-il ?

— Il... Nous sommes chez Hensel, hoqueta-t-elle. Mais il n'a...

— Ecoute-moi, répéta-t-elle avec force. Appelle la police. Tout de suite. Fais le 911, explique-leur ce qui se passe.

Si seulement elle parvenait à convaincre Peggy de se retourner contre son mari ! Sa mère, elle, n'avait jamais porté plainte. Meurtrie dans sa chair et dans son âme, elle avait continué à défendre l'indéfendable, envers et contre tout, vingt-cinq années durant.

— Non ! Je ne peux pas... Pas maintenant, objecta Peggy, réduisant ses espoirs à néant. Il... Je l'ai enfermé dans la chambre froide. J'entends plus rien. Il... Il s'est peut-être évanoui ?

— Ne t'inquiète pas. C'est très bien comme ça. Es-tu sûre qu'il ne peut pas sortir ?

— Oui. Il n'y a... pas de poignée à l'intérieur. C'est pour ça que je l'ai mis là, tu comprends ?

— Oui. Tu as bien fait, assura-t-elle d'une voix apaisante. Mais tu ne peux pas rester seule avec lui, Peggy. Il faut que...

— Viens, je t'en prie ! Je te raconterai tout. Et j'appellerai la police, je te le jure. Mais viens, Jo. J'ai peur...

Sa voix n'était plus qu'un murmure, à présent. Et Joanna l'imagina, tapie dans un coin de la vaste demeure d'Hensel, les yeux écarquillés, le cœur en déroute. Blessée, sans doute, incapable de bouger...

Elle se redressa. Sa décision était prise. Même si Peggy avait participé, de près ou de loin, aux terribles événements des jours derniers, elle ne pouvait lui refuser son aide. Elle irait la voir, lui parler... Puis, ensemble, elles préviendraient l'inspecteur Dibell.

238

— D'accord, acquiesça-t-elle. J'arrive... mais promets-moi que tu me laisseras appeler la police.

Ivre de soulagement, Peggy ne se fit pas prier. Puis, entre deux sanglots, elle lui dicta l'adresse d'Hensel Rabern. Sitôt qu'elle eut raccroché, Joanna tenta de contacter Brad... mais il ne répondit ni à son bureau, ni dans sa voiture. Après plusieurs tentatives infructueuses, elle lui expliqua la situation sur son répondeur, et lui promit de le rappeler dès qu'elle serait auprès de Peggy.

L'esprit vide, incapable de réfléchir, Joanna régla les ouvriers à qui elle demanda de refermer la porte derrière eux une fois leur tâche achevée, commanda un taxi — sa voiture étant toujours garée près du terrain de football où elle l'avait laissée la semaine précédente — et se fit conduire au domicile d'Hensel. A mi-chemin, une pluie diluvienne s'abattit sur le pare-brise, et le chauffeur dut s'y reprendre à plusieurs reprises pour trouver son chemin dans le dédale des petites rues fleuries, bien entretenues, du quartier de Rabern. Enfin, il s'arrêta devant une vaste demeure de style victorien. Toutes les fenêtres étaient allumées et, derrière l'une d'elles, au rez-de-chaussée, Joanna reconnut la frêle silhouette de Peggy. Le cœur battant, elle se précipita sous l'averse, indifférente à l'eau glacée qui ruisselait sur ses joues.

La jeune femme lui ouvrit la porte avant même qu'elle n'arrive sur le perron. Et se jeta dans ses bras en sanglotant.

— Oh, Peggy...

Bouleversée, Joanna la serra contre elle. Sans entendre la porte se refermer. Ni deviner l'homme qui s'approchait, un linge à la main...

Lorsqu'il s'abattit sur elle, la plaquant au sol de tout son poids, elle tenta de lui échapper, bien sûr. Elle lutta, cria, griffa… en pure perte. Aidé de Peggy, Chip eut vite le dessus. Et lorsqu'ils lui appliquèrent le torchon imbibé d'éther sur le visage, elle comprit qu'il était trop tard.

Sa dernière pensée ne fut pas pour Peggy, qui l'avait trahie, ni pour Chip, qui allait la tuer — car il n'y avait aucun doute possible sur ses intentions —, mais pour Brad. Et le bonheur qu'ils ne connaîtraient pas ensemble.

Brad quitta Hensel Rabern vers 19 heures. Ils s'étaient retrouvés un peu moins d'une heure avant, dans un café près de l'hôpital. Et les aveux du chirurgien lui avaient glacé le sang.

D'après lui, Chip Vine était psychotique. Constamment au bord du gouffre, rarement lucide, affreusement instable. Poussé à bout par un père qui n'avait eu de cesse de l'humilier, il avait définitivement perdu la raison lorsqu'il avait découvert que ce dernier avait modifié son testament vingt-quatre heures avant d'entrer en salle d'opération, déshéritant son fils unique de la fortune accumulée par la famille Rabern depuis des générations. Alors, mettant à profit ses rares connaissances médicales, il avait ingurgité une dose massive de pénicilline avant d'aller donner son sang pour son père.

« J'ai commis le crime parfait, non ? », s'était-il vanté par la suite, lorsque Hensel l'avait admis aux urgences, ivre mort, le lendemain du décès d'Elliott au bloc.

Alors, Hensel, horrifié mais impuissant, avait paré au plus urgent : tenter de convaincre Ruth Brungart de la thèse de l'accident. La pousser à demander des analyses supplémentaires au laboratoire, de manière à épuiser l'échantillon de sang d'Elliott. Et faire porter les soupçons sur Joanna…

— Ce n'était pas très louable, avait-il admis en reposant sa tasse de café. Mais c'était la seule solution… La commission d'enquête n'avait pas assez d'éléments pour l'accuser, de toute façon. Et, une fois la pression médiatique retombée, j'aurais abandonné les poursuites.

— Vous étiez donc prêt à couvrir le meurtre de Chip ? s'était enquis Brad, outré.

Hensel avait haussé les épaules.

— Le mal était fait : je ne pouvais plus rien y changer… Et, pour tout vous dire, je n'arrivais même pas à être choqué. Elliott n'a eu que ce qu'il méritait.

— Et Phil Stonehaven ? avait insisté Brad, n'y tenant plus. Il a eu ce qu'il méritait, lui aussi ?

La colère qu'il retenait depuis le début de l'entretien lui était brusquement montée à la tête. Et il avait bien failli étrangler Rabern sur place, lorsque ce dernier avait répondu, d'un air pincé :

— Là non plus, je n'y pouvais rien. C'est une tragédie, naturellement… et cela vous prouve à quel point Chip avait perdu la tête. Lorsqu'il a compris que Phil était sur ses traces, il a réagi comme une bête prise au piège. C'était sa vie contre la sienne… Puis il a ouvert la porte de la cuisine, laissé ses empreintes à l'envers…

Il avait secoué la tête, l'air perdu dans ses pensées, avant d'ajouter :

— Mais Chip ne fera plus de mal à personne, maintenant. Je suis résolu à le faire admettre dans une institution.

— Ah oui ? Et pour les enfants de Phil, vous avez des projets ? avait répondu Brad d'un ton cinglant.

La discussion s'était achevée dans l'impasse : Rabern, aveuglé par son amour pour Chip, qu'il considérait comme son fils, refusait d'admettre sa culpabilité. Cette tragédie n'était à ses yeux que le résultat des années d'humiliation qu'Elliott lui avait fait subir. Sa folie excusait le reste...

Ulcéré, Brad avait préféré s'en tenir là. Il appartiendrait à la justice de trancher, désormais.

Il avait regagné sa voiture sous une pluie battante. A peine installé derrière le volant, il avait composé le numéro de Joanna. La retrouver, la serrer dans ses bras, dormir près d'elle cette nuit... il ne désirait rien de plus, à présent. Mais elle n'avait pas décroché et Brad comprit qu'elle n'était plus chez elle, et probablement déjà arrivée chez Beth.

Par habitude, il vérifia ses messages sur son serveur vocal, avant de démarrer.

Deux minutes plus tard, il se faufilait à toute allure sur Lake Shore Drive. En priant pour arriver à temps chez Hensel Rabern.

Recroquevillée sur le plancher du bureau d'Hensel, au premier étage de la maison, Joanna revint lentement à elle. Le bruit lui déchirait les oreilles, sa tête lui faisait mal. Mais elle savait où elle était. Et elle savait pourquoi. Combien de temps était-elle restée inconsciente ? Quelques minutes, tout au plus. Chip et Peggy, à quelques mètres d'elle, s'invectivaient en hurlant. Insulte contre insulte, cri contre cri... Mais de quoi parlaient-ils ?

Les yeux toujours fermés, elle se força à rassembler ses esprits. Peggy disait qu'ils ne devaient ni la frapper ni l'attacher, parce que personne ne croirait à un accident de voiture si son corps portait des traces de coups lorsqu'il serait retrouvé au bas de la falaise. Mais Chip ne voulait rien entendre. Il savait, lui, ce qu'il fallait faire ! Et ce n'était pas son imbécile de femme qui lui dicterait sa conduite.

D'ailleurs, s'il voulait frapper cette saleté d'anesthésiste, il ne s'en priverait pas. Elle le méritait bien, non ?

Joanna se raidit, prête au pire. Une ombre se dressa au-dessus d'elle. Et une douleur atroce lui déchira les côtes, comme Chip lui labourait les flancs de coups de pieds. Peggy hurla — puis une autre voix couvrit le vacarme :

— Arrête, Chip ! Tu as perdu la tête, ou quoi ?

Les coups cessèrent comme par enchantement. Entrouvrant les yeux, Joanna distingua la haute silhouette d'Hensel Rabern près de la cheminée.

— Tu la protèges, maintenant ? s'insurgea Chip. Si elle n'avait pas fourré son nez dans…

— Tais-toi ! interrompit Rabern. Laisse-moi réfléchir.

— Je t'interdis de me donner des ordres ! Personne n'a le droit de me parler sur ce ton, tu m'entends ?

— Calme-toi, chéri, supplia Peggy — mais Chip l'écarta rudement.

— M'énerve pas, bougonna-t-il. Ça t'a pas suffi, tout à l'heure ?

Du coin de l'œil, Joanna aperçut une ombre se glisser dans l'embrasure de la porte. Elle tourna très lentement la tête, risqua un regard… Brad !

Trop occupés à se disputer, les trois autres n'avaient pas remarqué son arrivée.

— Et toi, Hensel, reprit Chip d'un ton venimeux, c'est ta faute, aussi. Tu m'avais dit que c'était le crime parfait ! Tu m'avais promis…

— Vous lui aviez promis que personne ne se douterait de rien, n'est-ce pas, Rabern ? intervint Brad d'une voix dangereusement suave. Parce que c'est vous qui avez tout planifié, bien sûr… Chip n'y aurait jamais pensé tout seul. Et il faisait un parfait petit soldat, non ? C'était l'instrument

243

idéal pour vous venger d'Elliott. Vous lui avez donné la pénicilline, il a donné son sang… et le tour était joué !

Chip hocha vivement la tête.

— C'est ça ! hurla-t-il. C'est exactement ça !

— Le problème, reprit Brad, c'est quand Chip a appris peu de temps avant l'opération que son père l'avait déshérité. Alors, il est revenu sur l'accord que vous aviez conclu… Plus question de tuer Elliott, puisqu'il fallait le convaincre de modifier le testament en sa faveur après le pontage… Bien sûr, vous avez promis à Chip de ne pas utiliser le sang empoisonné. Mais l'envie de vous débarrasser d'Hensel a été plus forte que tout. Et, le matin de l'opération, vous êtes passé à l'acte.

— C'est insensé ! protesta Rabern.

Brad avait vu juste. La vérité, cette fois, éclatait au grand jour : Hensel avait été l'instigateur du meurtre d'Elliott Vine. C'était lui qui avait convaincu Chip de se débarrasser de son père, et non l'inverse. Quant à Peggy… elle ignorait vraisemblablement tout de leur crime lorsqu'elle avait été admise aux urgences, quelques jours plus tôt. Puis, terrifiée par la violence de son mari, elle avait accepté de taire ses mensonges.

— Qu'est-ce que c'est que cette histoire, Hensel ? s'emporta Chip. Tu m'avais dit que les poches de sang avaient été échangées par erreur…

— Expliquez-lui, Rabern, intima Brad. Vous lui devez bien ça, non ? Expliquez-lui que ses problèmes d'héritage n'avaient aucune importance à vos yeux…

— Non ! hurla le fils d'Elliott. Tu m'avais juré que tu jetterais ma poche de sang !

— Tais-toi, idiot ! Tu ne vois pas que MacPherson essaie de nous monter l'un contre l'autre ?

244

L'insulte, le ton condescendant qui imprégnait la voix de Rabern... C'en était trop pour Chip. S'emparant d'un lourd tisonnier en fonte, il l'abattit violemment sur la tête de son parrain, qui s'effondra en hurlant. Les yeux exorbités, Chip s'apprêtait à frapper une seconde fois... quand Brad lui décrocha un violent revers de la main, tandis que Peggy, enfin revenue à la raison, se jetait sur son mari pour lui arracher le tisonnier.

Dans le tumulte général, Joanna se traîna jusqu'au téléphone, et composa le 911.

De retour à l'appartement, Brad et Joanna prirent une longue douche pour se débarrasser du sang, de l'éther et de la poussière qui maculaient leurs visages et leurs mains. Puis ils se blottirent dans les bras l'un de l'autre sous la couette, face à la fenêtre ouverte sur la nuit étoilée. Et Brad laissa libre cours à ses talents d'orateur, contant fleurette à sa belle, la couvrant de compliments, de mots d'amour et de promesses de bonheur.

— Dis-moi, interrompit-elle avec un brin de malice, puis-je enfin connaître le moyen de te laisser sans voix ?

Il la fit asseoir face à lui. Puis, l'air grave, il lui posa la question qu'elle espérait.

— Docteur Dish, veux-tu m'épouser ?

Elle sourit, émue aux larmes.

— Oui, répondit-elle fermement. Absolument.

Il lui rendit son sourire, avant de l'embrasser avec fougue. Puis il la regarda et elle vit dans son regard tout l'amour qu'il lui portait. Il se pencha ensuite vers le creux de son oreille et murmura :

— Mission accomplie, Dish, je ne trouve plus mes mots !

LE CLAN DES MACGREGOR

Orgueil et Loyauté, Richesse et Passion

~

**Tournez vite la page,
et découvrez en avant-première,
un extrait du premier épisode
de la nouvelle saga de Nora Roberts :**

La fierté des MacGregor

~

*Dans son style efficace et sensible, Nora Roberts
nous fait cadeau d'une nouvelle saga : celle des
MacGregor, et nous fait pénétrer dans le clan très
fermé de cette famille richissime.*

A paraître le 1er octobre

Extrait de
La fierté des MacGregor
de Nora Roberts

La lune était encore haute dans le ciel et poudrait la mer d'argent. Accoudée au bastingage, Serena se gorgeait d'air pur tout en regardant danser l'écume lumineuse.

Il était 2 heures du matin passées et personne ne s'attardait plus sur les ponts extérieurs. C'était le moment de la nuit qu'elle préférait, lorsque les passagers étaient déjà couchés et que l'équipage dormait encore. Seule avec les éléments, elle retrouvait le plaisir d'être en mer. Le visage offert au vent, elle goûtait la sauvage beauté de la nuit et se recentrait sur elle-même après avoir été immergée dans la foule toute la soirée.

Juste avant le lever du jour, ils atteindraient Nassau pour une première escale. Et le casino resterait fermé tant qu'ils seraient à quai. Ce qui lui laisserait une journée entière de liberté. Et le temps de savourer sans arrière-pensée ce moment de détente avant le coucher.

Très vite, les pensées de Serena dérivèrent sur l'homme qui était venu jouer à sa table quelques heures auparavant. Avec son physique et son allure, il devait attirer bien des femmes. Pourtant, on devinait en lui un solitaire. Elle était prête à parier, d'ailleurs, qu'il s'était embarqué seul pour cette croisière.

La fascination qu'il exerçait sur elle allait de pair avec un indiscutable sentiment de danger. Mais quoi d'étonnant à cela puisqu'elle avait toujours eu le goût du risque ? Les risques pouvaient être calculés, cela dit. Il y avait moyen d'établir des statistiques, d'aligner des probabilités. Mais quelque chose lui disait que cet homme balayerait d'un geste de la main toute considération platement mathématique.

— Savez-vous que la nuit est votre élément, Serena ?

Les doigts de Serena se crispèrent sur le bastingage. Même si elle n'avait jamais entendu le son de sa voix, elle *savait* que c'était lui. Et qu'il se tenait à quelque distance derrière elle. D'autant plus inquiétant que son ombre devait à peine se détacher sur le tissu obscur de la nuit.

Elle dut faire un effort considérable sur elle-même pour ne pas pousser un cri. Le cœur battant, elle se força à se retourner lentement puis à faire face. Laissant à sa voix le temps de se raffermir, elle attendit qu'il soit venu s'accouder à côté d'elle pour s'adresser à lui avec une désinvolture calculée.

— Alors ? Vous avez continué à avoir la main heureuse, ce soir ?

— A l'évidence, oui, dit-il en la regardant fixement. Puisque je vous retrouve.

Elle tenta — sans succès — de deviner d'où il était originaire. Tout accent particulier avait été gommé de sa voix profonde.

— Vous êtes un excellent joueur, dit-elle, sans relever sa dernière remarque. Nous n'avons que très rarement affaire à des professionnels, au casino.

Elle crut voir une étincelle d'humour danser dans ses yeux verts tandis qu'il sortait un de ses fins cigares de la poche de son veston. L'odeur riche, onctueuse de la fumée chatouilla les narines de Serena avant de se dissiper dans l'immensité de la nuit.

Décontenancée par son silence, elle demanda poliment :

— Vous êtes content de votre croisière, jusqu'à présent ?

— Plus que je ne l'avais prévu, oui… Et vous ?

Elle sourit.

— Je travaille sur ce bateau.

Il se retourna pour s'adosser au bastingage et laissa reposer sa main juste à côté de la sienne.

— Ce n'est pas une réponse, Serena.

Qu'il connaisse son prénom n'avait rien de surprenant. Elle le portait bien en évidence sur le revers de sa veste de smoking. Mais de là à ce qu'il s'autorise à en faire usage…

— Oui, j'aime mon travail, *monsieur*… ?

— Blade… Justin Blade, répondit-il en traçant d'un doigt léger le contour de sa mâchoire. Surtout, n'oubliez pas mon nom, voulez-vous ?

N'eût été son orgueil, Serena se serait rejetée en arrière, tant elle réagit violemment à son contact.

— Rassurez-vous. J'ai une excellente mémoire.

Pour la seconde fois, ce soir-là, il la gratifia d'une ébauche de sourire.

— C'est une qualité essentielle pour un croupier. Vous excellez dans votre métier, d'ailleurs. Il y a longtemps que vous êtes dans la profession ?

— Un an.

— Compte tenu de votre maîtrise du jeu et de la façon dont vous manipulez les cartes, j'aurais pensé que vous aviez plus d'expérience que cela.

Justin saisit la main qui reposait sur le bastingage et en examina avec soin le dos comme la paume. Il s'étonna de la trouver si ferme en dépit de sa délicatesse.

— Que faisiez-vous dans la vie avant d'être croupière ?

Même si la raison voulait qu'elle retire sa main, Serena la lui laissa. Par plaisir autant que par défi.

— J'étudiais, répondit-elle.

— Quoi ?

— Tout ce qui m'intéresse… Et vous ? Que faites-vous ?

— Tout ce qui m'intéresse.

Le son rauque, sensuel du rire de Serena courut sur la peau de Justin comme si elle l'avait touché physiquement.

— J'ai l'impression que votre réponse est à prendre au pied de la lettre, monsieur Blade.

250

— Bien sûr qu'elle est à prendre au pied de la lettre… Mais oubliez le « monsieur », voulez-vous ?

Le regard de Justin glissa sur le pont désert, s'attarda sur les eaux sereines.

— On ne peut que se dispenser de formalités dans un contexte comme celui-ci.

Le bon sens commandait à Serena de battre en retraite ; sa nature passionnée, elle, la poussait à affronter le danger sans reculer.

— Le personnel de ce navire est soumis à un certain nombre de règles concernant ses rapports avec les passagers, monsieur Blade, rétorqua-t-elle froidement. Vous voulez bien me rendre ma main, s'il vous plaît ?

Il sourit alors et la lumière de la lune dansa dans ses yeux verts. Plus que jamais, il lui faisait penser à un grand chat sauvage. Au lieu de lui rendre sa main prisonnière, il la porta à son visage et posa les lèvres au creux de sa paume. Serena sentit ce baiser léger vibrer en elle, comme si la série des ondes de choc devait ne plus jamais cesser.

— Votre main me fascine, Serena. Je crois que je ne suis pas encore tout à fait prêt à vous la restituer. Et dans la vie, j'ai toujours eu la méchante habitude de prendre ce que je convoite, murmura-t-il en lui caressant les doigts un à un.

Dans le grand silence de la nuit tropicale, Serena n'entendit plus, soudain, que le son précipité de sa propre respiration. Les traits de Justin Blade étaient à peine visibles ; il n'était rien de plus qu'une ombre dans la nuit, une voix qui chuchotait à ses oreilles, une paire d'yeux aux qualités dangereusement hypnotiques.

Et quels yeux…

Sentant son corps indocile répondre de son propre mouvement à leur injonction muette, elle tenta de briser le sortilège par un sursaut de colère :

— Désolée pour vous, monsieur Blade. Mais il est tard, je descends me coucher.

Non seulement Justin garda sa main prisonnière, mais il poussa l'audace jusqu'à retirer les épingles dans sa nuque. Lorsque ses cheveux libérés tombèrent sur ses épaules, il sourit avec un air de discret triomphe, et jeta les épingles à la mer.

Poussée par la brise, la chevelure de Serena se déploya au-dessus des eaux noires. Sous la pâle lumière de la lune, sa peau avait la pureté du marbre. Fasciné, Justin se remplit les yeux de sa beauté fragile, presque irréelle. Une chose était certaine : il ne la laisserait pas repartir. Il y mettrait le temps et la patience qu'il faudrait. Mais il trouverait le moyen de la séduire avant la fin de cette croisière. Et le plus tôt serait le mieux.

— Il est tard, oui, mais la nuit est votre élément, Serena. Ça a été ma première certitude vous concernant.

— Ma première certitude *vous* concernant, c'est que vous étiez parfaitement infréquentable. Et j'ai toujours été très intuitive...

Chère lectrice,

Vous nous êtes fidèle depuis longtemps?
Vous venez de faire notre connaissance?

C'est pour votre plaisir que nous avons
imaginé un rendez-vous chaque mois
avec vos auteurs préférés, vos
AUTEURS VEDETTE dans les
collections Azur et Horizon.

Les AUTEURS VEDETTE vous
donneront rendez-vous pour de
nouveaux livres vedette.

Pour les reconnaître, cherchez
l'étoile... Elle vous guidera!

Éditions Harlequin

HARLEQUIN

LE FORUM DES LECTEURS ET LECTRICES

CHERS(ES) LECTEURS ET LECTRICES,

VOUS NOUS ETES FIDÈLES DEPUIS LONGTEMPS?

VOUS VENEZ DE FAIRE NOTRE CONNAISSANCE?

SI VOUS AVEZ DES COMMENTAIRES, DES CRITIQUES À
FORMULER, DES SUGGESTIONS À OFFRIR, N'HÉSITEZ
PAS... ÉCRIVEZ-NOUS À:

> LES ENTERPRISES HARLEQUIN LTÉE.
> 498 RUE ODILE
> FABREVILLE, LAVAL, QUÉBEC.
> H7R 5X1

C'EST AVEC VOS PRÉCIEUX COMMENTAIRES QUE NOUS
ALLONS POUVOIR MIEUX VOUS SERVIR.

DE PLUS, SI VOUS DÉSIREZ RECEVOIR UNE OU
PLUSIEURS DE VOS SÉRIES HARLEQUIN PRÉFÉRÉE(S)
À VOTRE DOMICILE, NE TARDEZ PAS À CONTACTER LE
SERVICE D'ABONNEMENT; EN APPELANT AU
(514) 875-4444 (RÉGION DE MONTRÉAL) OU 1-800-667-4444
(EXTÉRIEUR DE MONTRÉAL) OU TÉLÉCOPIEUR
(514) 523-4444 OU COURRIER ELECTRONIQUE:
AQCOURRIER@ABONNEMENT.QC.CA OU EN ÉCRIVANT À:

> ABONNEMENT QUÉBEC
> 525 RUE LOUIS-PASTEUR
> BOUCHERVILLE, QUÉBEC
> J4B 8E7

MERCI, À L'AVANCE, DE VOTRE COOPÉRATION.

BONNE LECTURE.

HARLEQUIN.

VOTRE PASSEPORT POUR LE MONDE DE L'AMOUR.

♉ ♊ ♋ ♌ ♍

69 L'ASTROLOGIE EN DIRECT ♎
TOUT AU LONG
DE L'ANNÉE.

(France métropolitaine uniquement)
Par téléphone 08.92.68.41.01
0,34 € la minute (Serveur SCESI).

Composé et édité par les
*éditions*Harlequin
Achevé d'imprimer en septembre 2004

BUSSIÈRE

GROUPE CPI

à Saint-Amand-Montrond (Cher)
Dépôt légal : octobre 2004
N° d'imprimeur : 44218 — N° d'éditeur : 10861

Imprimé en France